Scrivere Etrusco

Agenzia generale
INA - Assitalia
di Perugia

Agenti generali
Franco D'Attoma
Carlo Jacone

Scrivere Etrusco

Scrittura e letteratura
nei massimi documenti della lingua etrusca

Electa

Electa Editrice

Direttore Editoriale
Carlo Pirovano

Hanno collaborato
a questo volume

Redazione
Giorgio Bombi
Silvia Guagliumi

Impaginazione
Gabriele Nason

Coordinamento tecnico
Mario Farè

Stampato in Italia

Scrivere Etrusco
Dalla leggenda alla conoscenza
Scrittura e letteratura
nei massimi documenti della lingua etrusca

Perugia, Rocca Paolina
maggio-settembre 1985

Comitato Nazionale
per il Progetto Etruschi
Comitato Regionale Umbro
per il progetto Etruschi
Regione dell'Umbria
Provincia di Perugia
Provincia di Terni
Comune di Orvieto
Comune di Perugia

**Comitato Esecutivo Umbro
per il Progetto Etruschi**

Presidente
Guido Guidi
Assessore Regionale per i beni culturali

Membri

Giorgio Antonucci
*Funzionario alla cultura
della Provincia di Terni*

Enzo Coli
Assessore alla cultura del Comune di Perugia

Giuseppe della Fina
*Funzionario alla cultura del
Comune di Orvieto*

Alessandro Laureti
*Assessore alla Cultura della
Provincia di Perugia*

Giovanni Pugliese Carratelli
Presidente Fondazione C. Faina di Orvieto

Francesco Roncalli
*Ordinario di Etruscologia e Antichità Italiche,
Università di Perugia*

Mario Torelli
*Ordinario di Archeologia e Storia dell'Arte Greca
e Romana, Università di Perugia*

Segretario generale
Massimo Montella
Coordinatore uffici regionali per i beni culturali

Coordinamento scientifico della mostra
Francesco Roncalli

Collaboratori
Claudia Büttner, Sergio Fatti,
Lucia Neri, Stefania Pettine

Direzione della mostra
Massimo Montella

Coordinamento
Elisabetta Spaccini

Organizzazione
Gigliola Santarelli

Segreteria
Alberto Borghesi, Francesca Parlani

Amministrazione
Nadia Cagiotti

Archivio fotografico
Luciana Marino

Contabilità
Stenio Bongini, Luigi Brogi

Consulenza giuridica
Marco Rufini

*Coordinamento scientifico e
supervisione dei testi del catalogo*
Francesco Roncalli

Testi
Francesco Roncalli (F.R.), Ante
Rendić-Miočević (A.R.M.), Ivan Mirnik
(I.M.), Margarete Guldan (M.G.),
Claudia Büttner (C.B), Sergio Fatti (S.F.),
Lucia Neri (L.N.), Stefania Pettine (S.P.)

Progetti di allestimento e direzione dei lavori
Architetto Luigi Caccia Dominioni,
Architetto Alessandro Cassini

Allestimento e promozione
Centro Umbria Arte Soc. Coop. a r.l.

Comunicazione interna
Daniele Bo

Multivisione
Studio Due Effe

Fotografia
George Tatge, Todi; E.DI.TECH. s.r.l. Firenze; Abegg-Stiftung, Riggisberg, Bern (CH); Istituto Fotografico Editoriale Scala S.p.A., Antella (FI); Archivio Fotografico dei Monumenti, Musei e Gallerie Pontificie, Città del Vaticano; P. Zigrossi, Roma; Foto Dainelli, Volterra; Studio fotografico Foglia, Napoli; Foto Patricolo, Palermo; Foto Studio C.N.B. e C., Bologna; Ny Carlsberg Glyptothek, Copenhagen; Service de documentation photographique de la Réunion des musées nationaux, Parigi; Centro Umbria Arte.

Il restauro del *Liber Linteus* è stato eseguito dalla Abegg-Stiftung di Riggisberg, Berna. Le analisi di laboratorio propedeutiche al restauro sono state eseguite presso il Centraal Laboratorium voor Onderzoek van Voorwerpen van Kunst en Wetenschap di Amsterdam.
Il restauro della statua-cinerario chiusina di Berlino è stato eseguito nei laboratori degli Staatliche Museen zu Berlin.

Si ringraziano quanti hanno acconsentito al prestito degli originali:

Arheološki Muzej di Zagabria

Staatliche Museen-Antikensammlung di Berlino - DDR

Musée du Louvre di Parigi

Soprintendenza Archeologica per l'Umbria

Soprintendenza Archeologica per l'Etruria

Soprintendenza Archeologica per l'Etruria Meridionale

Dott. Alessio Conestabile della Staffa

Museo Civico di Bologna

Comune di Corciano

Biblioteca Comunale "Augusta" di Perugia

Museo Archeologico Nazionale di Napoli

Archivio di San Pietro Perugia

Direzione generale dei Musei Vaticani

Un particolare ringraziamento agli uffici centrali e periferici del Ministero per i Beni Culturali e Ambientali e in particolare all'Istituto Centrale per il Restauro di Roma per la collaborazione prestata per la conservazione delle opere in mostra, e al Centro Regionale Umbro di Elaborazione Dati per l'elaborazione del programma di esame computerizzato dei testi.

Si è grati alla Presidenza della Facoltà di Lettere dell'Università di Perugia per la cortese disponibilità dimostrata, agli uffici del Comune di Perugia per l'apprestamento della sede della mostra, alla RAI Radiotelevisione Italiana per la produzione e diffusione delle riprese filmate della mostra.

Le Assicurazioni d'Italia, Agenzia Generale di Perugia, ha offerto la copertura assicurativa per il *Liber linteus* negli spostamenti da Zagabria a Berna a Amsterdam a Perugia e per tutti gli originali presenti in mostra. Imballi e trasporti degli originali: SINTRA s.r.l. Roma

Già il fatto che ci si trovi a presentare questa seconda edizione di un catalogo, e a distanza di così poco tempo, comprova evidentemente il pieno conseguimento degli obiettivi che questa eccezionale esposizione si proponeva. Scriveva, difatti, l'allora assessore alla cultura Guido Guidi nella presentazione della prima edizione, che "negli itinerari ricorrenti del turismo culturale l'Umbria vuole inserirsi stabilmente anche per le grandi esposizioni, promuovendo iniziative che si segnalino per valore intrinseco e per rigore scientifico prima ancora che per la spettacolarità pure insita in manifestazioni di tal genere".

In realtà, l'aver adunato assieme per la prima volta i tre più lunghi e importanti testi della scrittura etrusca, l'aver ricondotto nel suo luogo d'origine quel liber linteus, uscitone da oltre due millenni, dopo averne per di più procurato un restauro così importante per se stesso e per la tutela e per la piena comprensione del solo vero e proprio libro etrusco pervenutoci, ha costituito un'impresa assolutamente eccezionale, innanzitutto sotto l'aspetto propriamente culturale e scientifico.

Questa qualità particolare dell'esposizione perugina non è sfuggita al grande pubblico, intervenuto in straordinaria quantità, né agli addetti ai lavori in Italia e fuori. E davvero è da credere che l'Umbria abbia potuto ormai inserirsi stabilmente nei grandi itinerari culturali del turismo internazionale, come sembrano dimostrare anche i molti e lunghi servizi dedicati a questa iniziativa dalla stampa e dalle televisioni di tutti i paesi.

Tale è stato l'interesse manifestato da ogni parte da determinare anche il rapido esaurimento del catalogo. Sicché, a fronte delle molte richieste ancora inevase, si è reso necessario varare questa seconda edizione, che ci consente altresì di registrare, insieme con alcune inevitabili correzioni, anche sostanziali integrazioni. In tal modo si completa un'opera fin dall'inizio concepita in piena autonomia dall'allestimento espositivo, così da proiettare nel tempo il suo valore di documentazione, in gran parte inedita, dei tre fondamentali testi etruschi riletti in modo per lo più nuovo sia a seguito dei restauri intervenuti, sia per effetto di quella correlazione che proprio l'occasione della mostra ha consentito di stabilire fra il contenuto testuale e la sua fisica consistenza nei diversi materiali e forme dei supporti.

Forzatamente legate ai tempi espositivi sono invece le soluzioni di allestimento adottate nei suggestivi e ben caratterizzati ambienti della Rocca Paolina. E proprio per non smarrire la conoscenza di un elemento risultato altrettanto decisivo per il successo della mostra, questa nuova edizione del catalogo è stata opportunamente integrata con alcuni disegni e fotografie.

Il presente volume costituisce, pertanto, una fase di ulteriore sviluppo di un lavoro ancora in atto.

La stessa mostra dello "Scrivere Etrusco" è proprio in questi giorni allestita a Zagabria, a significare la gratitudine della Regione e del Ministero dei beni culturali per la sensibilità dimostrata dal Museo di Zagabria con la concessione del prestito del liber linteus, e, per le stesse ragioni, sarà forse nei prossimi anni anche allo Staatliche Museen di Berlino, proprietario della Tegola di Capua, così da offrire ancora la possibilità di vedere insieme questi tre monumenti poi destinati a tornare nelle loro diverse sedi per un tempo indefinibile.

Dalla attuazione di questa iniziativa espositiva trarremo stimolo per concludere le molte altre intraprese a tutela e valorizzazione del cospicuo patrimonio archeologico etrusco in Umbria, a cominciare dal restauro, già in atto, del Palazzo Faina di Orvieto e dal nuovo allestimento museale della prestigiosa collezione che vi è conservata.

Gennaio 1986

Venanzio Nocchi
Assessore Regionale
per l'Istruzione e la Cultura

In un'età come la nostra, in cui l'immagine ha intense, rapide, diffuse capacità di penetrazione persuasiva, assai più della parola scritta, i messaggi visivi affidati alle mostre costituiscono lo strumento più efficace per informare e documentare: massimamente nel campo della rievocazione delle civiltà del passato.
Per quel che riguarda gli etruschi esistono illustri precedenti. In primo luogo fra tutti la grande "Mostra dell'arte e della civiltà etrusca", formata in gran parte con materiali (tra i più preziosi) dei musei italiani, esposta a Zurigo, Milano, Parigi L'Aja, Oslo, Colonia tra il 1955 e il 1956. Ma il tema stimolante suscitò più volte negli anni successivi altre iniziative, meno ambiziose, e tuttavia ricche d'interesse per essere incentrate sui valori di nuove scoperte e nuovi restauri: così in Italia, a Viterbo e a Firenze, fuori d'Italia, a Vienna e a Stoccolma; mentre ancor più di recente singoli aspetti del mondo etrusco sono stati sfiorati in rassegne sulla civiltà del Lazio primitivo e sulle origini di Roma e, per l'arte, affrontati centralmente nella mostra "Prima Italia" (Bruxelles, Roma, Atene).
Ciò che si presenta oggi è una modalità espositiva del tutto nuova, fondata sopra una pluralità di manifestazioni coordinate, che in un programma unico, più o meno contemporaneamente, ma in luoghi diversi e con diverse prospettive di contenuti e di formule, intende rappresentare l'intero quadro della civiltà e della vita degli etruschi, con tutti gli aggiornamenti e tutte le compiutezze che s'impongono al livello attuale dei nostri studi: in Firenze per una visione più generale; in vari centri toscani per particolari ricerche tematiche; in altre regioni d'Italia, Lazio, Campania, Umbria, Emilia-Romagna, Lombardia, soprattutto per la rappresentazione dei fenomeni dell'etruscità periferica.
È con grande attenzione e rispetto che va considerato questo eccezionale impegno verso la scienza e verso la cultura, nel quale si ravvisa il momento più appariscente del "Progetto Etruschi", tanto più che ad esso sono state chiamate le forze più valide della scienza italiana, nel campo degli studi etruscologici, sia universitari sia delle soprintendenze e dei musei, e sperimentatissime esperienze tecniche. C'è da sperare che i risultati delle mostre, per l'interesse degli studiosi e del pubblico, corrispondano alle generose intenzioni dei progettatori ed allestitori.
L'unico timore che potrebbe affacciarsi di fronte a quella condizione che è propria di ogni raccolta espositiva limitata nel tempo, che cioè si tratti di un "avvenimento effimero", ha d'altra parte — come è ormai apprezzabile consuetudine dei nostri tempi — il suo più efficace correttivo nella pubblicazione dei cataloghi destinati non soltanto a raccogliere l'attenzione e la comprensione dei visitatori sulle collezioni esposte, ma anche, ed è ciò che più conta, ad illustrare, al più alto livello di competenza scientifica e di incisività didattica, le prospettive generali e particolari della esperienza storica alla cui rappresentazione sono dedicate le mostre.

Massimo Pallottino

Sommario

Intento dichiarato e preminente di tutte le iniziative che compongono il "Progetto Etruschi" è operare una lodevole aggressione culturale nei confronti dell'opinione pubblica, che valga a sostituire la radicata immagine misteriosa, sepolcrale ed esotica che la nozione di "etrusco" porta con sé con un'altra, documentata e aggiornata, che ne restituisca il profilo conosciuto o conoscibile, la dimensione quotidiana e solare e – ovvia conseguenza – l'incisiva presenza in una ben precisa stagione del nostro passato.
Queste iniziative s'inseriscono, com'è evidente, in un filone di operazioni divulgative di alto livello inaugurate, circa un trentennio fa, dalla celebre mostra milanese sull'arte e la civiltà degli etruschi, cui altre ne seguirono, elaborandone il modello e via via concentrandone o ampliandone il campo visivo.
Peraltro l'aspetto aggressivo dello sforzo odierno sta nella coralità e capillarità dell'impresa attraverso la quale il fenomeno etrusco viene scomposto e ricomposto pubblicamente, analizzato e sintetizzato dovunque (in senso geografico) e in qualsiasi ambito tematico ci sia oggi dato di individuarlo e definirlo.
Non è il caso di illudersi troppo. Studi e conoscenze oggettive possono sì erodere terreni preliminarmente accettati come conoscibili; ma dove si sia a "priori" installato il mistero c'è ben poco da conquistare, dal momento che conoscere i misteri è, prima che difficile, proibito: e una larghissima porzione di pubblico colto (proprio così) *ama* il "mistero" etrusco e lo protegge dalle aride profanazioni della scienza ufficiale. Proprio qui sta, tuttavia, la bontà dell'aggressione prescelta: una massa senza precedenti di informazioni tematicamente ordinate, rese evidenti dalla eloquenza dei documenti, presentati spesso per la prima volta o per la prima volta riuniti insieme, faranno capolino da ogni angolo d'Etruria; momenti di sintesi "centralizzate" si alterneranno ad analisi che riaffideranno in un certo senso al paesaggio stesso – corresponsabile in fondo anch'esso, con le sue suggestioni romantiche, di quel mistero apocrifo, ma ora disciplinato in una rete di itinerari storicamente coerenti – la rettifica o la chiarificazione. La speranza è che tale operazione possa togliere al "mistero" non già spazio, ma attrattiva, sostituendo ad esso la curiosità legittima, complementare alle certezze acquisite, lo stimolo delle prospettive reali della ricerca e, se proprio si vuole, il fascino delle attese ancora affidate alla più o meno fortuita generosità del terreno.
È noto che, pilastro del presunto mistero etrusco e, per così dire, interno ad esso, ne ha prosperato un altro: quello della lingua. Sostanzialmente eterogenea rispetto alle altre dell'Italia antica, insufficientemente documentata (malgrado la ricchezza quantitativa ormai raggiunta dal *Corpus* delle iscrizioni note) anziché conservare malgrado ciò il proprio spazio potenziale autentico e storicamente integrato, la lingua ha finito, a differenza di altri "linguaggi" (come quello figurativo, religioso, ecc.), per perdere progressivamente tale spazio, per destoricizzarsi evadendo, nell'opinione pubblica, in un'orbita di ostinato mistero, e finendo, in quella scientifica, sul "tavolaccio" del perito settore. Due collocazioni egualmente indifese. Dalla prima infatti la lingua etrusca ha continuato a fornire un docile bersaglio a periodiche visioni e folgorazioni di dilettanti (anche l'etruscologia ha i propri "guaritori"); dalla seconda ha visto rinviato *sine die* il momento della propria reintegrazione storica: e questo non solo per la lentissima, anche se sicura, progressione della indagine glottologica in sé, ma proprio per la forzata mutilazione che questa è costretta a operare allorchè strappa – per analizzarla – la parola parlata alla bocca che l'ha pronunciata, e quella scritta all'oggetto cui è stata affidata.
Nell'avaro panorama delle testimonianze rimasteci della lingua etrusca è comprensibile, anche se paradossale, che questa "vivisezione" del documento scritto (testo da una parte, supporto dall'altra) sia stata tanto più drastica e spontanea proprio a danno dei documenti più lunghi, ricchi e importanti: quelli appunto che la mostra perugina oggi presenta al pubblico. Se infatti le esigenze – e le impazienze – specifiche dello studio linguistico di un'iscrizione incisa su di un vaso, o sull'architrave di una tomba, potranno indurre il linguista a dimenticarsi di quel vaso o di quella tomba, altri se ne occuperanno e, comunque, la temporanea "espropriazione" non riuscirà mai a cancellare le varie ed evidenti valenze del documento globale. Quando invece, come nel caso del *Liber linteus* di Zagabria, della "Tegola" di Capua e del Cippo di Perugia, un abbagliante patrimonio complessivo di circa duemila parole si presenta affidato ad una semidistrutta benda di lino, ad una modesta e malconcia lastra di terracotta, e ad un blocco di travertino, della cui origine e provenienza oltretutto si sa ben poco, il peso soverchiante del primo schiaccerà l'apparente insignificanza dei secondi, condannandoli a un quasi inevitabile oblìo. Ciò che appunto, nel caso dei tre massimi cimeli della lingua etrusca che qui si presentano, è puntualmente avvenuto.
Errore costoso, sul piano della ricerca, per almeno tre ordini di motivi. Prima di tutto perché la presunzione di avere, astraendone il testo, "spremuto" tutto quanto l'oggetto avesse da dire lo ha escluso dai benefici che una curiosità sempre tesa reca inevitabilmente alla conoscenza di un documento: ivi compresa la consistenza oggettiva del testo stesso. Abbiamo così la sorpresa, a più di centosessant'anni dalla prima edizione del Cippo di Perugia (1823) di poterne proporre ancora correzioni di lettura, e ancora più numerose e significative sono quelle relative al *Liber linteus* di Zagabria. In secondo luogo perché l'aver considerato i tre documenti come puri "contenitori di parole" ha impedito di percepire anche in essi altre importantissime potenzialità di testimonianza (inerenti, oltre alla grafia, la materia, la redazione, la tradizione testuale, ecc.). Infine perché l'atrofia in cui questi aspetti della ricerca sono caduti ha finora impedito loro di entrare in pieno rapporto "bilinguistico" con i testi stessi: un rapporto grazie al quale li crediamo fin d'ora capaci di contribuire anche all'interpretazione e traduzione dei testi, cui sono legati in modo necessario, meditato e dunque significante.
È con questo già implicitamente enunciato lo scopo che la mostra perugina e questo catalogo si propongono: non certo quello di fornire un aggiornamento del quadro degli studi linguistici aventi attinenza diretta o indiretta con l'interpretazione dei tre documenti. Il Cippo di Perugia fu rinvenuto nel 1822; le bende della Mummia di Zagabria vennero edite per la prima volta scientificamente, e il testo che recavano riconosciuto come etrusco, nel 1892; la "Tegola di Capua" fu acquistata dai Musei di Berlino ed

edita nel 1898. Se si tiene presente questa anzianità di servizio dei tre testi nella storia degli studi etruscologici, e il fatto che il patrimonio lessicale ch'essi portano è pari a circa l'ottanta per cento dell'intero vocabolario etrusco oggi noto, si comprenderà come un simile intento sarebbe stato presuntuoso, irrealizzabile e fuori luogo.
Il lavoro che trova un *primo* coronamento nella Mostra, e che si è voluto fissare nel catalogo, è stato di altra natura. Si è voluto rivitalizzare tre documenti di eccezionale portata, quasi simulando le condizioni di una loro effettiva riscoperta, oggi. Il raggiungimento di tale scopo, se per tutti e tre i cimeli poteva dirsi sostanzialmente garantito dalla loro pura e semplice ripresentazione al pubblico, dopo la parziale ma pesante emarginazione di cui si è detto, per il primo, e più importante (il libro di Zagabria), confida anche in un radicale mutamento di "immagine", risultato a sua volta di una serie di studi, esami e, da ultimo, di un intervento conservativo e ricostruttivo che ce lo consegnano oggi assai più simile a com'era quando lasciò per la prima volta questa parte d'Etruria alla volta dell'Egitto.
La scienza archeologica, con le sue ormai sofisticate e diversificate tecniche analitiche, saprà trarre nuovo profitto, ci auguriamo, da questa proposta. Ma anche il grande pubblico dovrà fare i conti con l'impatto delle tre massime testimonianze: e qui l'impresa s'inserisce perfettamente nella linea "aggressiva" di cui è detto all'inizio. Al persistente equivoco sulla presunta indecifrabilità della scrittura etrusca risponderà la lunghezza e leggibilità di almeno due dei tre grandi testi con l'evidenza, è il caso di dirlo, di un libro aperto. Alle curiosità circa metodi e risultati dell'interpretazione della lingua etrusca risponderà meglio di ogni disquisizione erudita, lo sforzo cui il visitatore stesso è stimolato, a cercare le parole "riconoscibili" e a percepire, anche di quelle ancora oscure, la frequenza e le modificazioni, collocando così egli stesso le proprie domande – anche se con strumenti ovviamente semplificati – in una prospettiva corretta. Dove, poi, difficoltà di lettura e interpretazione resistono – nelle faticose, religiose spire del testo della "Tegola" di Capua come nelle macchie scure che la mummia egizia ha lasciato sulle bende del libro etrusco semidistrutto, nelle lunghe formule rituali ricorrenti nei due testi più lunghi come nel patto codificato fra le famiglie degli Afuna e dei Velthina sul Cippo di Perugia – confidiamo che il visitatore, magari deluso, sappia individuare lo spazio della ricerca che resta da compiere, che è vastissima, piuttosto che quello di un mistero, che ci sta decisamente stretto.
Il taglio del catalogo si adegua a questi criteri e scopi. In tre distinti *dossiers* ci si limita a consegnare al lettore l'immagine integrale e aggiornata (questa sì) dei rispettivi monumenti: dalla loro riproduzione grafica – realizzata dopo ripetute autopsie – a quella fotografica, eseguita con nuove tecniche; dalla rinnovata indagine sulla storia dei reperti, alla rilettura dei testi. Che ciò non sia poco, lo dimostra il fatto che, del testo di Zagabria, non si aveva finora un apografo, che oggi gli archeologi non negano neanche a un graffio sotto il piede d'un vaso!
Il solo limite alla completezza della documentazione inserita nel catalogo è stato imposto dal necessario anticipo dei tempi di stampa rispetto a quelli del restauro delle bende, che a loro volta sono stati fatti ovviamente coincidere con quelli del trasferimento delle bende da Zagabria a Perugia, onde evitare quanto più possibile il moltiplicarsi delle operazioni di spostamento, imballaggio e sballaggio, con relativi rischi e costi.
Tuttavia, come si è detto, il catalogo non può essere che una prima istantanea sui risultati del lavoro compiuto. È un piacevole imbarazzo quello in cui chi scrive si trova, nell'accingersi alla menzione di quanti, Enti e persone, hanno contribuito alla maturazione dell'impresa che oggi presentiamo: tanto solidale e inestricabile pare oggi l'apporto di tutti.
I colleghi della Direzione del Museo Archeologico di Zagabria, nelle persone del prof. Duje Rendić-Miočević, prima, del prof. Ante Rendić-Miočević e del dott. Ivan Mirnik, poi, hanno collaborato a ogni livello all'impresa, aderendo prontamente al progetto di restauro ed esposizione dell'inestimabile cimelio affidato alle loro cure. È la stessa disponibilità, del resto, della quale lo scrivente aveva potuto valersi fin dai tempi dei suoi primi studi sul *Liber linteus*: e se la loro collaborazione, di funzionari e di studiosi (e coautori del catalogo), ha potuto portare alla realizzazione dell'impresa, ciò si deve anche alla comprensione da essi stessi trovata presso le Autorità politiche e amministrative preposte al patrimonio culturale della Croazia.
Analoga accoglienza hanno trovato, presso la Direzione della Antiken-Sammlung dei Musei Statali di Berlino, prima la proposta di partecipazione alla mostra, poi la diretta collaborazione: anche in questo caso, nell'apertura dimostrata dal Direttore dott. M. Kunze e dalle dott.sse H. Heres e I. Kriseleit si prolunga quella iniziale e determinante dell'ex-direttrice dott.ssa E. Rohde.
Fin dal settembre 1981, in occasione di una visita al laboratorio di restauro e Museo di tessuti antichi della Fondazione Abegg di Riggisberg (Berna) avevo espresso al Direttore dott. A. Gruber il desiderio che le bende del libro etrusco di Zagabria potessero un giorno meritare lo studio e le cure di quella Istituzione. La speranza aveva trovato, ancora una volta, una risposta entusiasta, cui ha fatto seguito, al momento della realizzazione, l'efficienza, bravura e delicatezza della dott.ssa M. Flury e delle sue collaboratrici.
Si consentirà a questo punto, a uomini di cultura, di ripercorrere con soddisfazione sulla carta geografica gli itinerari che circostanze in fondo casuali hanno imposto a questa collaborazione: itinerari che una cultura europea straordinariamente unitaria ha tracciato da un pezzo, e saprà pazientemente attendere vengano trasferiti su mappe d'altra natura.
Se questa Mostra, e lo sforzo che l'ha preparata, si sono realizzati, ciò si deve alla Regione dell'Umbria, che ha saputo farne propri i propositi e assumerne, nel quadro della propria adesione al "Progetto Etruschi", quasi esclusivamente gli oneri. Non era facile intuire il fascino – quello vero – di un tema, sulla carta, piuttosto ostico, né sobbarcarsi allo sforzo di fare promozione culturale e divulgazione su di un terreno tradizionalmente tanto esclusivo: di questo va dato atto alla Giunta Regionale nella persona dell'assessore Guido Guidi, titolare per i beni culturali, al coordinatore dell'Ufficio Beni e Servizi Culturali del medesimo, dott. Massimo Montella, e ai suoi collaboratori. All'appello della Re-

gione hanno risposto la Soprintendenza Archeologica per l'Umbria, con il prestito del Cippo di Perugia e con l'assistenza in occasione della campagna fotografica che ha fornito il fondamentale corredo alla Mostra: di ciò siamo grati alla Soprintendente, dott.ssa A.E. Feruglio.
Il Comune di Perugia ha concorso attivamente al progetto offrendo una preziosa collaborazione anche al di là della disponibilità della Rocca Paolina, superando le difficoltà date dall'evidente appetibilità di tale sede anche per altre iniziative analoghe. Di questo ringrazio l'assessore alla cultura dott. E. Coli e l'architetto P. Lattaioli e la dottoressa Patrizia Brutti. Ringrazio inoltre il Direttore della Biblioteca Augusta, dott. Roncetti, per l'aiuto prestato nel reperimento e nel prestito di testi e manoscritti. Alcuni di questi ultimi sono stati meglio compresi e trascritti, grazie alla pazienza e cortesia della professoressa Olga Marinelli. Il Preside della Facoltà di Lettere e Filosofia dell'Università di Perugia, prof. A. Pieretti, ha generosamente offerto la propria sede ai curatori scientifici della mostra.
L'intervento degli architetti Luigi Caccia Dominioni e Alessandro Cassini, con la collaborazione del dott. Daniele Bo, ben al di là dei compiti di chi progetta un allestimento, ha saputo, in difficile equilibrio fra duttilità e inventiva, integrare il programma espositivo stesso, sia arricchendone che semplificandone i contenuti; non saprei dire di più.
La realizzazione dell'apparato espositivo ha comportato l'ormai tradizionale mescolanza di professionalità e acrobazia: entrambe puntualmente fornite dalla Cooperativa Umbria Arte di Perugia, dallo Studio Due Effe di Milano per gli impianti audiovisivi, dalla Ditta Opizzi di S. Angelo Lodigiano per le vetrine e i supporti in ferro.
Ci avviciniamo allo sparuto drappello di coloro che hanno elaborato il materiale – scientifico ed espositivo al tempo stesso – che correda i tre temi principali della Mostra. L'ing. M. Seracini della E.DI.TECH. di Firenze è l'autore della formidabile indagine fotografica sulle bende, alla quale dobbiamo una messe di osservazioni che non sempre si è potuta evidenziare esaurientemente nella mostra o nel catalogo. Il fotografo George Tatge ha prodotto gran parte delle immagini che accompagnano il visitatore nel suo itinerario.
Infine gli studenti Claudia Büttner, Sergio Fatti, Lucia Neri e Stefania Pettine (i cui nomi ricompariranno al punto giusto del catalogo) hanno dedicato energia, entusiasmo e talenti ancora intatti sia alla stesura dei testi che all'allestimento della mostra, restaurando di tanto in tanto anche la fiducia dello scrivente nel successo dell'impresa comune.
Concludo ricordando con profonda gratitudine l'entusiastica adesione del prof. Massimo Pallottino: adesione espressa efficacemente fin dalla "prima ora", quando ancora poteva non essere chiaro a tutti il significato del progetto, né la sua realizzabilità credibile.

Francesco Roncalli

Il Liber linteus di Zagabria

Numero Progressivo: 1
Dono
del signor Ilija Barić Vice-arcidiacono della diocesi di Djakovo, a Golubinci.
Luogo di ritrovamento
portata dall'Egitto da Mihael Barić, scrittore della Regia Cancelleria di Corte ungherese, e dopo la sua morte lasciata al fratello Ilija.
Descrizione
1) Mummia femminile ignuda, stante, agganciata ad una asta di ferro, su di un basamento di legno levigato, con capelli rossicci, tracce di doratura su fronte e spalle, entro una vetrina nera levigata con vetro sui quattro lati, e all'interno con un tendaggio di seta di color grigio-cenere, sportelli guarniti, due serrature con chiavi, delle quali la superiore blocca la corda, con la quale viene sollevata la tenda.
2) Altra vetrina, posta su piedestallo sollevato, nero levigato, con porte di vetro, guarnizioni, serratura e chiave.
In essa si trovano le interiora e le bende della suddetta mummia e frammenti di documenti scritti su papiro. Anche la maggior parte delle bende reca iscrizioni e geroglifici.

La mummia e le sue bende: cronaca di un'acquisizione

In un inventario manoscritto del Museo Nazionale di Zagabria redatto negli anni fra il 1862 e il 1865 dal curatore Mijat Sabljar (1790-1865), al n° 1 della collezione di antichità egiziane si legge la scheda ricomposta qui a sinistra.

L'individuazione di "iscrizioni e geroglifici" su quelle bende era il primo passo verso il riconoscimento di quello che, ancora oggi, è il più importante – e straordinario – documento della lingua etrusca pervenuto fino a noi: il *Liber Linteus Zagrabiensis*, il solo libro di lino conservatosi fra quelli che gli autori antichi ci riferiscono essere stati in uso presso gli etruschi, come anche presso le altre popolazioni dell'Italia antica, non ultimi i romani.

Erano gli anni in cui l'archeologo perugino Ariodante Fabretti andava completando la prima raccolta del materiale epigrafico etrusco-italico che, di lì a poco, nel 1867, egli avrebbe pubblicato, a Torino, nel *Corpus Inscriptionum Italicarum*.

La storia a noi nota della mummia e delle bende ha inizio nel 1848/49, allorché vengono acquistate dal nobile Mihael de Barić in Egitto (a un'altra versione, che vorrebbe mummia e bende acquistate dal Barić presso un antiquario di New York, non si sa quale consistenza riconoscere).

Barić, nato a Semeljci in Slavonia intorno al 1791 e morto a Vienna il 14 dicembre 1859, aveva compiuto studi di teologia, divenendo poi, nel 1829, scrittore (*Hofkoncipist*) della Regia Cancelleria Ungherese, posto che occupò fino al 1848. Pare che abbia lasciato il paese allo scoppio della rivoluzione e che, grazie alle sue considerevoli sostanze, abbia viaggiato raggiungendo l'Egitto, dove fece il fortunato acquisto: ma dove esattamente, e da chi, non si sa.

Proprio in quegli anni veniva compiuto un altro viaggio importante per gli studi etruscologici: quello attraverso *The Cities and Cemeteries of Etruria* (Londra 1848) di George Dennis. Esponendo i problemi connessi con l'interpretazione dell'etrusco, Dennis auspicava anche per questa lingua il rinvenimento di una "stele di Rosetta" e il sorgere di "uno Champollion" (guardava, se non altro, nella giusta direzione: l'Egitto!). Di ritorno in patria, Barić, vistosi negato dal Ministero dell'Interno di Buda il reinserimento nel suo precedente incarico, si stabilì in una delle sue case nel centro di Vienna, al n° 728 di *Am alten Fleischmarkt*, occupandosi della sua collezione d'arte che, fra l'altro, comprendeva anche la Mummia, ancora interamente avvolta nelle sue bende. Questa era esposta stante (ossia eretta) e fissata a una spranga di ferro, in una vetrina verticale addobbata da tendaggi. Una nipote di Barić, Th. Jellinek, racconterà nel 1891 a J. Krall, primo editore del testo delle bende, d'aver visto il volto infantile della mummia: il che testimonia come a un certo momento Barić avesse incominciato a liberarla dalle bende: operazione che doveva aver quasi sicuramente completato prima di morire, se nel 1859 mummia e bende erano custodite in due teche distinte.

Alla morte di Barić, erede universale ne fu la nipote, ed esecutore testamentario il fratello Ilija, subarcidiacono di Golubinci, un paese della diocesi di Djakovo. Alcuni importanti documenti, rinvenuti nel 1952 da V. Košćak negli archivi dell'Accademia Jugoslava di Scienze e Arti, a Zagabria, fra le lettere del vescovo Strossmayer, illuminano, da un lato, la storia dell'arrivo della mummia e delle bende a Zagabria, e dall'altro pongono l'intera vicenda in stretta connessione con le più importanti figure della vita culturale e politica della Croazia nella seconda metà dell'Ottocento.

Non è certamente senza fondamento la convinzione, tramandatasi nel Museo stesso, secondo la quale all'origine della donazione della mummia e delle bende fossero per l'appunto Josip Juraj Strossmayer (1815-1905), vescovo di Bosnia e Sirmio (con sede a Djakovo) dal 1849/50 fino alla morte, e Franjo Rački (1828-1894), Presidente dell'Accademia Jugoslava. I suddetti documenti, recanti il protocollo del Reale Consiglio di Reggenza dei Regni di Dalmazia, Croazia e Slavonia, furono successivamente restituiti all'archivio croato.

Il primo contiene una dichiarazione di Ilija Barić del 14 dicembre 1861, in cui afferma che, in conformità con le ultime volontà del fratello Mihael, la mummia avrebbe dovuto essere ceduta all'Accademia Jugoslava (allora non ancora formalmente istituita, ma per essa esisteva già un Comitato Finanziario, come pure per l'Università: en-

La mummia di Zagabria fotografata all'inizio del Novecento nel Reparto Egizio del Museo di Zagabria

La mummia fotografata nel 1950

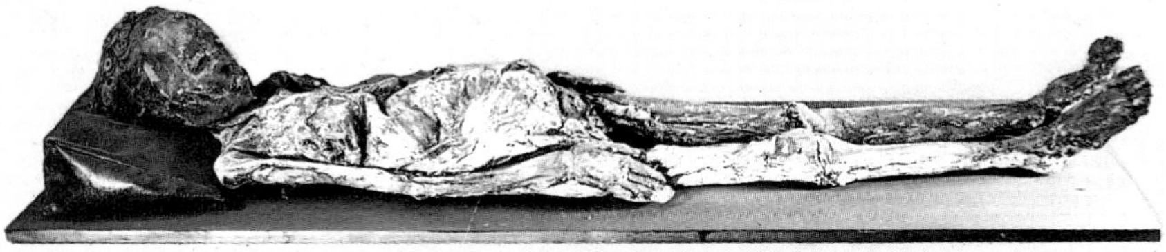

trambe fondate da Strossmayer); ove la prima si fosse mostrata inadeguata, destinatario alternativo sarebbe stato il Museo Nazionale di Zagabria.

Una seconda lettera di Ilija Barić, indirizzata al *Bano*, Barone Josip Šokčević, in qualità di Capo dello Stato, il 19 marzo 1862, contiene una dettagliata descrizione della "straordinaria mummia egiziana" già indicata come "interamente nuda"; ad essa appartengono "frammenti di lino insieme a una incrostazione resinosa in cui la mummia era stata avvolta un tempo, come pure quattro o cinque rotoli delle suddette foglie di palma (*sic*) inscritti con segni e figure che potrebbero contenere una descrizione storica, tutti conservati in un'altra teca orizzontale, che odora di balsamo ed è chiusa da un coperchio di vetro".

Il tutto era conservato a Vienna nell'abitazione del defunto Mihael Barić: non c'era che da prenderne possesso. A partire dal 4 aprile 1862 un intenso scambio epistolare intercorse fra il Reale Consiglio di Luogotenenza, il Comitato Finanziario per l'istituenda Accademia, presieduto dal Barone Ambroz Vraniczany, relatore Matija Mesić, e la Cancelleria Reale per i Regni di Dalmazia, Croazia e Slavonia, che a quel tempo rappresentava il Regno Triunito presso il Governo centrale e il cui presidente era il grande uomo politico e poeta croato Ivan Mažuranić (1814-1890).

Questi, dopo aver ordinato un'ulteriore ispezione sulle antichità proposte in dono e una perizia sulle esigenze dell'imballaggio e del trasporto (dalla quale si conferma che la mummia ignuda e le bende a essa appartenenti erano in due vetrine distinte), rispose al Consiglio di Luogotenenza il 19 luglio 1862, dando tutte le indicazioni necessarie. Il Consiglio, d'accordo con il Comitato, prese le decisioni richieste il 26 dello stesso mese e, pochi giorni dopo, le casse contenenti la mummia e le bende giunsero a Zagabria. Il trasporto era avvenuto per ferrovia da Vienna a Zidani Most, e su carro da qui a Zagabria; il costo totale dell'operazione fu di 85 *gulden* e 48 *kreuzer*, su di una cifra di 100 *gulden* inizialmente stanziata per conto del Comitato Finanziario per l'Accademia e l'Università.

Al Museo Nazionale, ancora ospitato nel Palazzo Drašković nella città alta, gli oggetti furono presi in consegna dal

già citato curatore M. Sabljar, un maggiore dell'esercito imperial-regio, in pensione dal 1840. Già curatore del Museo Nugent di antichità greche e romane sito nel castello Trsat sopra Fiume, e diventato nel 1841 secondo curatore della maggior parte delle collezioni del Museo Nazionale di Zagabria, Sabljar fu l'ultima persona perfettamente informata sulla più recente "storia" della mummia e delle bende, di cui, alla sua morte, avvenuta nel 1865, sola traccia restò in un'etichetta scritta a mano sulla vetrina della mummia stessa, e nella voce –qui riportata all'inizio –al n° 1 del catalogo della collezione egittologica: voce ripresa pressoché letteralmente anche nei cataloghi curati dai suoi successori, l'abate Šime Ljubić (1822-1896) e il prof. Josip Brunšmid (1858-1929).
Ljubić, curatore del Museo dal 1869 e direttore dal 1871 al 1892, era il primo vero archeologo ad avere quell'incarico: non sorprende che uno dei suoi primi atti fosse l'invito rivolto all'egittologo Heinrich Brugsch (1827-1894) a recarsi a Zagabria per catalogare la raccolta egizia del Museo, costituita per la maggior parte dalla collezione del Barone Franz Koller (acquistata nel 1868), ma di cui facevano parte anche la mummia e le bende del lascito Barić.
In un catalogo della collezione egizia edito nel 1870 (mummia e bende vi compaiono ai nn. 1 e 2) Ljubić scrive fra l'altro: "sulle bende vi è un'iscrizione a tutt'oggi non identificata. Il famoso Prof. Brugsch, custode di tutte le antichità e raccolte egizie del Cairo, avendo studiato a lungo e copiato le bende, intende pubblicarle. Esse sono di tale novità, che non ve ne sono di uguali al mondo". L'intenzione del Brugsch resta però irrealizzata. Soltanto nel 1891, sollecitato dall'altro egittologo J. Krall, che aveva ormai riconosciuto il carattere etrusco del testo, Brugsch, in due lettere a lui inviate dal Cairo (il 27 aprile) e da Berlino (il 15 dicembre), ricorderà le circostanze della sua scoperta (o riscoperta); vale la pena di citare qui un passo della seconda: "Non avrei scoperto le bende scritte se un lembo non se ne fosse trovato aperto e rovesciato. La mia sorpresa alla vista di quella scrittura a me sconosciuta fu naturalmente grande, e poiché speravo di imbattermi forse in una iscrizione egiziana, (che formasse con la prima) una bilingue grande o piccola, così svolsi quello che c'era da svolgere – la cosa non presentava difficoltà – e riportai alla luce l'enigmatico testo. Ciò mi diede l'occasione di trascriverne subito, seduta stante, i segni alfabetici a me sconosciuti. Che le bende costituissero parte di quelle che avvolgevano la mummia posso confermarlo quale testimone oculare di quell'epoca".
L'importanza che non si può non riconoscere a questa testimonianza, ha lasciato perplessi coloro che la vedono in contraddizione con quanto è inequivocabilmente emerso dalla cronistoria dei fatti esposta finora: che, cioè, la mummia era già da tempo separata dalle bende quando Brugsch la vide, mentre dalle sue parole si potrebbe intendere che le bende scritte vennero svolte per la prima volta da lui stesso. In realtà in nessun punto delle due lettere Brugsch dice, o lascia intendere, d'aver visto le bende *addosso alla* mummia, mentre egli afferma esplicitamente soltanto: a) di aver trovato le bende con un solo lembo aperto così da consentire la visione del lato scritto; b) d'averle trovate insieme a quelle con cui la mummia era stata avvolta così da non poter dubitare della loro appartenenza a quelle: e sappiamo che una precisa indicazione in questo senso era contenuta nell'etichetta posta sulla teca stessa che le conteneva e sulla vecchia scheda di Sabljar.
Il secondo studioso che ispezionò mummia e bende fu Sir Richard Burton (1821-1890), console inglese a Trieste negli ultimi anni della sua vita, orientalista, viaggiatore instancabile e amico e mecenate del Museo di Zagabria. Avendo visto gli oggetti nel 1877, inviò l'anno successivo a Zagabria il viceconsole Philip Proby Cautley, il quale riferì di aver esaminato le bende nello studio del Direttore, dove erano state trasferite dal reparto di antichità del "Museo del Triregno", dove, come scrive lo stesso Cautley, "the mummy stands". "Il materiale verrebbe definito grezzo ai nostri giorni" e tuttavia "la struttura del lino è molto compatta e omogenea". Burton considerò runico il testo, e pubblicò un articolo nelle *Transactions of the Royal Society of Literature of the United Kingdom* (Londra, 1879) che per la prima volta portò il *Liber linteus* di Zagabria all'attenzione del mondo scientifico. In precedenza una richiesta rivolta al Museo perché le bende potessero essere presentate a Lipsia in occasione del Congresso dei Filologi Tedeschi (1872) non era stata accolta. Parimenti del 1879 fu il primo tentativo di fotografare il testo da parte di Ivan Standl, il migliore fotografo croato del tempo: ma i risultati furono scarsi.
Nel 1889 Ljubić pubblicò il primo volume del Catalogo del Dipartimento Archeologico del Museo Nazionale di Zagabria, in cui due pagine e una tavola erano consacrate alla mummia e alle bende. Finalmente, nel 1891, le bende vennero inviate a Vienna, presso la Biblioteca dell'Università, con il consenso della Direzione del Museo e del Dipartimento della Religione ed Educazione del Regio Governo di Croazia, Dalmazia e Slavonia. Qui le studiò l'egittologo prof. Jakob Krall, la cui attenzione era stata attirata dal seguente passo del catalogo della collezione egizia del Museo Nazionale, apparso sul primo fascicolo della *Kroatische Revue* nel 1882 a firma del Custode del Museo J.v.Bojničić: "In una... vetrina sono consacrate le... bende, interamente ricoperte da caratteri finora sconosciuti e indecifrati. Come unico esempio di un finora sconosciuto tipo di scrittura egiziana (!) tali bende costituiscono uno dei più importanti tesori del nostro Museo Nazionale".
Giunte a Vienna il 31 gennaio, le bende vi rimasero per un anno. Il minuzioso studio del Krall fu pubblicato nel 1892 nelle *Memorie dell'Accademia delle Scienze* di Vienna. La ricerca era integrata da analisi tecniche condotte da J. Wiesner sul tessuto e l'inchiostro e da V. von Ebner sulla mummia, e corredata da fotografie ortocromatiche realizzate da J.M. Eder, dell'"Imperial-regio Istituto di Ricerca e Didattica sulla fotografia e le tecniche di riproduzione fotografica". Si tratta di un lavoro fondamentale, raccolto in una pubblicazione esemplare; a esso non soltanto si deve il primo riconoscimento del testo come etrusco, ma anche la ricostruzione, impeccabile e a torto successivamente discussa, degli undici frammenti da lui allora individuati in cinque bende maggiori, nonchè una somma di osservazioni che purtroppo – per l'approccio glottologico "astratto" segnalato nell'introduzione – non sono state

Montaggio delle bende su garza nel 1910

Ripresa delle bende ai raggi infrarossi effettuata da I. Plotnikov nel 1932

Prove di scrittura effettuate da J. Krall sul retro della benda 4, col. 2

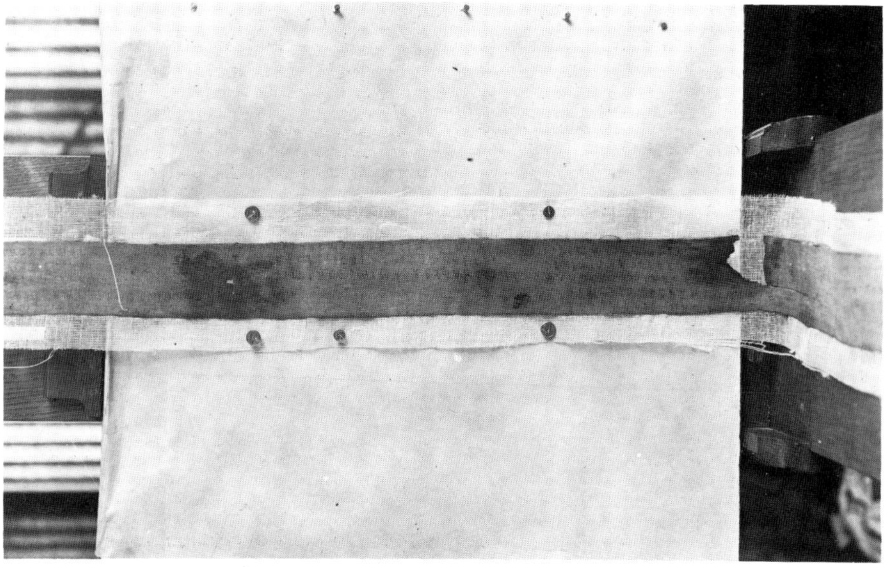

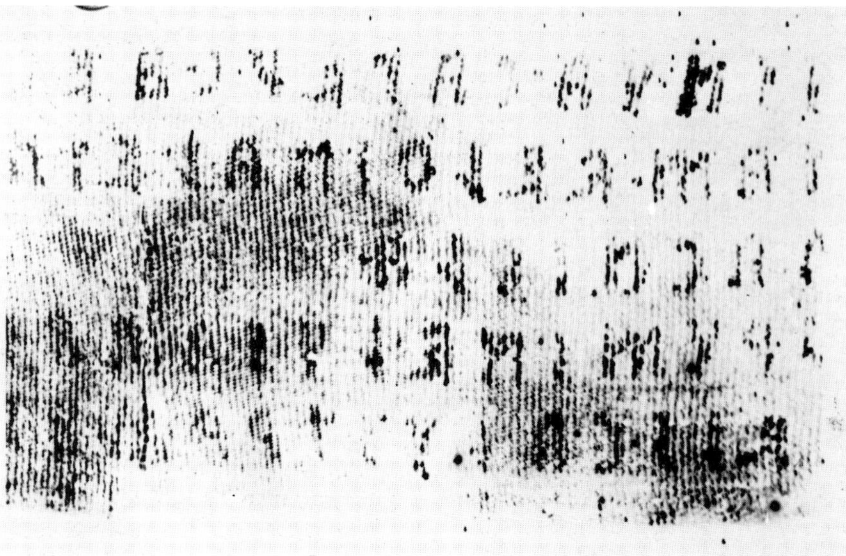

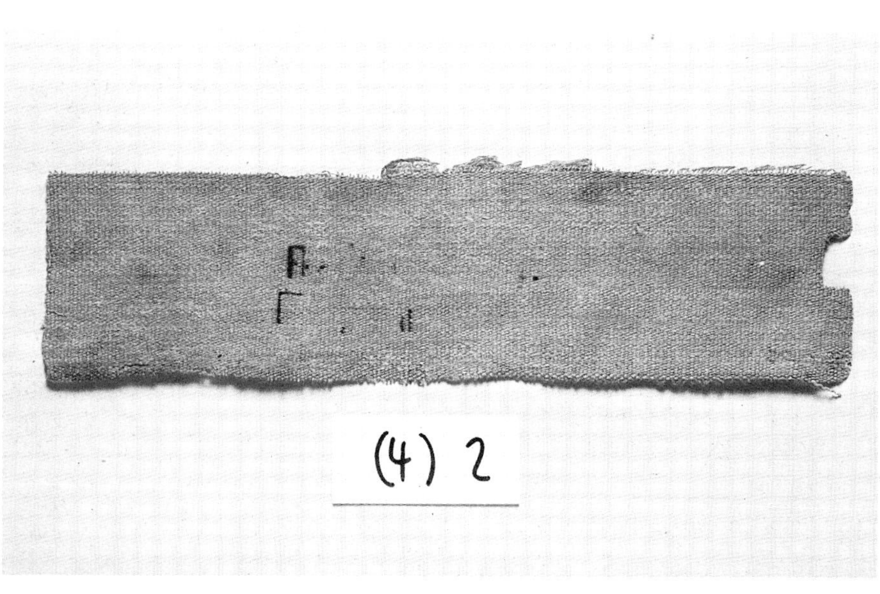

debitamente sfruttate negli studi successivi, quando addirittura non sono state lasciate distrattamente cadere.
Un torrente di articoli e studi del più disparato valore scientifico seguirono la pubblicazione del Krall, tanto che, quando nel 1919-1921 uscì nel *Corpus Inscriptionum Etruscarum* il primo fascicolo dedicato al *Liber linteus* di Zagabria, l'autore G. Herbig, dell'Università di Rostock, poteva già fornire una bibliografia di una settantina di titoli! Segnaleremo qui soltanto gli episodi che influirono direttamente sulla consistenza oggettiva del documento. Nel 1910 fu proprio Herbig a scoprire l'ultimo piccolo frammento delle bende inscritte nel cumulo (circa 40 metri) delle altre prive di iscrizioni, che fasciavano la mummia.
Nello stesso anno Josip Brunšmid, direttore del Dipartimento Archeologico del Museo e studioso di chiara fama, chiese a Herbig di intraprendere una parziale ricostruzione delle bende: ciò che questi fece, incollandone i frammenti, con estrema cautela, su strisce di garza sterilizzata.
Il frammento nuovo, coperto di macchie resinose come numerosi altri punti delle bende, nel 1913 fu inviato, insieme a un altro privo di testo, a Rostock per un saggio di pulitura, realizzato da R. Robert, Direttore dell'Istituto di Chimica Farmacologica e Fisiologica dell'Università. Brunšmid aveva al riguardo prudentemente "dosato" la richiesta di autorizzazione indirizzata alle autorità del Governo il 17 luglio 1913: sulla base dei risultati lusinghieri della pulitura del frammento privo di testo aveva chiesto di poter sottoporre a ulteriore prova il "frammento nuovo": dopodichè si sarebbe potuto affrontare il problema del restauro di tutte le bende nella sua globalità. Ma la prima guerra mondiale scoppiò prima che si potessero prendere ulteriori decisioni in merito. (Nel frattempo, sul finire del secolo, anche la mummia aveva subito un bagno disinfestante di petrolio: la conseguente minore rigidità delle giunture consigliò di toglierla dalla posizione stante che aveva nella vetrina originaria e di collocarla in una nuova posizione, orizzontale).
Nel frattempo il prof. V. Hoffiller (1877-1954), che succederà al Brunšmid sia nella direzione del Museo sia sulla cattedra universitaria, pubblicò

uno "stato della ricerca" sulla lingua etrusca e sul testo di Zagabria; e le visite di esperti a Zagabria si moltiplicarono.

Un importante progresso si registrò nel 1932 nella lettura delle parti rese fino allora illeggibili dalle macchie scure: una prima serie di fotografie ai raggi infrarossi è realizzata dal prof. I. Plotnikov e dai suoi assistenti L. Šplait e K. Weber. Su 245 righe, 90 sono fotografate e più tardi pubblicate dal tedesco M. Runes e dal danese S.F. Cortsen. Un'ulteriore iniziativa per realizzare una ripresa fotografica dell'intero sviluppo delle bende fu presa nel 1940 dal viennese E. Vetter.

Nel 1936, per la prima volta dopo molti decenni, il *Liber linteus* venne esposto al pubblico, e in tale occasione il Direttore Hoffiller tenne una acclamata conferenza cui presenziarono molti studiosi.

Nascoste al sicuro durante la seconda guerra mondiale, nel 1947 le bende furono trasferite dal palazzo dell'Accademia Jugoslava, che ospitava il Museo dal 1880, alla sede attuale: da allora la mummia è stata qui esposta al pubblico, mentre le bende erano conservate in cassaforte, accuratamente arrotolate in due grandi scatole rotonde di cartone, e mostrate soltanto raramente a specialisti.

Nel 1966 l'intero testo è stato nuovamente fotografato all'infrarosso; l'operazione, finanziata dal Fondo per la Ricerca Scientifica della Croazia, è stata condotta da I. Lukan dell'Istituto di Ricerca Criminologica del Segretariato degli Interni di Zagabria, sotto la supervisione di V. Vejvoda, della Direzione del Museo.

Il risultato di questa campagna fotografica è una serie di 86 fotografie che, divulgate unitamente a una breve introduzione di I. Degmedžić, hanno contribuito a fare progredire sostanzialmente la conoscenza del testo. (Da esse è stato realizzato anche un *facsimile* su lino del *Liber linteus*, a opera di R. Pfleger, di Zagabria, che ne ha fatto dono al Museo).

Le bende sono state infine esposte al pubblico, insieme alla mummia, per l'ultima volta, per alcune settimane, nel 1967.

Siamo lieti che, per l'iniziativa del prof. F. Roncalli e con il sostegno finanziario della Regione dell'Umbria, sia stato possibile realizzare l'esposizione del *Liber linteus* in Italia. Si tratta infatti di un'idea già accarezzata nel 1970 dal Direttore *pro tempore* del Museo di Zagabria prof. Duje Rendić-Miočević, che aveva chiesto alle Autorità di prendere in considerazione la possibilità di ripresentare le bende al pubblico italiano in un'esposizione che avrebbe dovuto toccare Bologna, Roma, Firenze, Milano e, naturalmente, Perugia.

Prof. Ante Rendić-Miočević
Direttore del Museo Archeologico di Zagabria

Dr. Ivan Mirnik
Consigliere Scientifico

Nel gennaio 1985 le bende sono state trasferite da Zagabria a Riggisberg (Berna) presso il laboratorio della Abegg-Stiftung, per esservi sottoposte a un trattamento di risanamento e riaccostamento. Preliminare all'intervento è stata un'analisi, condotta nel Centraal Laboratorium voor Onderzoek van Voorwerpen van Kunst en Wetenschap di Amsterdam, su di un frammento della benda 5, all'altezza della col. X. L'analisi, eseguita da P. Hallebeek (diffrazione ai raggi X), R. Karreman (spettroscopia all'infrarosso) e W. Roelofs (cromatografia su strato sottile) sotto la direzione di J.H. Hofenk de Graaf, direttrice del Reparto Polimeri Naturali del Laboratorio, era volta ad accertare la natura e lo stato di conservazione del tessuto e degli inchiostri – nero e rosso – impiegati nella stesura del testo.

Prima ancora dell'inizio del restauro è stata eseguita dall'ing. M. Seracini della E.DI.TECH. di Firenze una completa serie di fotografie a colori a luce normale, all'infrarosso, all'ultravioletto normale e per riflessione, oltre ad alcune riprese al microscopio. (La serie all'infrarosso, come quella che ha fornito i migliori risultati ai fini della lettura, viene utilizzata per le tavole di questo catalogo).

L'apografo integrale del testo delle bende è stato eseguito, sempre presso il Laboratorio della Abegg-Stiftung, dal sottoscritto e dalla sig.na Claudia Büttner.

Il restauro è stato condotto dalla Direttrice del Laboratorio dott.ssa M. Flury, che già in un sopralluogo effettuato sulle bende a Zagabria nel dicembre 1984 ne aveva suggerito lo sviluppo di massima. Si è provveduto alla fissazione del supporto e alla rimozione della colla che vi fissava le bende (impregnandole in profondità), a interventi di correzione di marginali accostamenti di frammenti di lino, di riassestamento della trama del tessuto e di risanamento generale delle bende, che potranno in tal modo, tra l'altro, essere esaminate, e integralmente fotografate, anche sul lato opposto a quello della scrittura.

F.R.

Le bende.

Il *Liber linteus* è conservato in cinque bende maggiori, ricostruite da 12 frammenti minori; le quattro superiori presentano chiari indizi esterni di contiguità; la collocazione della benda più bassa – non combaciante e probabilmente separata dalle precedenti dallo spazio di una sola benda perduta – è basata sia su indizi di carattere esterno che interno (testuale). La numerazione tradizionale, qui adottata (dall'alto verso il basso: benda 4, 2, 1, 5 e 3), risale allo studio del Krall e deriva dall'attribuzione, a ciascuna benda intera, del numero progressivo che individuava in origine soltanto il frammento maggiore di essa.

Benda 4:
lunghezza mass. 303,5 cm.
altezza media 5 cm.
Ricomposta da 12 frammenti dei quali 10 combacianti, due distanziati di 3 cm all'altezza della colonna IV e uno iniziale (il cosiddetto frammento Herbig, o "nuovo") distanziato dal resto di 7,5 cm. Il testo vi è conservato dalla porzione finale della seconda colonna fino alla XII.
Lembo terminale, privo di testo, interamente conservato.

Benda 2:
lunghezza mass. 269 cm.
altezza media 5,5 cm.
Ricomposta da 2 frammenti combacianti.
Il testo vi è conservato dalla IV colonna fino alla XII.
Lembo terminale, privo di testo, interamente conservato.

Benda 1:
lunghezza mass. 332,5 cm.
altezza media 6 cm.

Ricomposta da 4 frammenti combacianti.
Il testo vi è conservato dalla II colonna fino alla XII, di cui conserva le righe finali.
Lembo terminale, privo di testo, interamente conservato.

Benda 5:
lunghezza mass. 319,5 cm.
altezza media 6 cm.
Ricomposta da 11 frammenti dei quali 9 combacianti.
Il testo vi è conservato dalla porzione finale della I colonna fino alla XI.
Lembo terminale, privo di testo, conservato fino a circa 11 cm dalla frangia finale.

Benda 3 (o "frammento" γ):
lunghezza mass. 153,8 cm.
altezza media 5,5 cm.
Ricomposta da 5 frammenti combacianti.
Il testo vi è conservato dalla colonna VIII fino alla XI.
Lembo terminale, privo di testo, interamente conservato.

Materia e stato di conservazione.
Il libro si è dunque conservato per una lunghezza massima di 345 cm e per un'altezza massima – inclusa la lacuna ricostruibile fra le bende 5 e 3 – di 35 cm.
Il lino nel quale è tessuto presenta una trama molto compatta e regolare, certo funzionale alla destinazione. Inoltre, il fatto che il tratto d'inchiostro si sia disteso sulla superficie di norma senza venirne assorbito, rende molto verosimile che questa avesse subito un'ulteriore preparazione specifica, quale ad esempio una "follatura".
Due sono gli inchiostri impiegati: il nero ("nero avorio") per il testo e il rosso di cinabro (HgS al 100%) per la riquadratura delle colonne e per alcuni segni diacritici sparsi nel testo. (Il comportamento dell'inchiostro sul tessuto è stato sperimentato in occasione dello studio del Krall, tracciando alcuni segni sul rovescio della benda 4, all'altezza della colonna IV. Lo stato di conservazione generale del tessuto è mediocre: una notevole rigidità e ruvidezza, causa dei numerosi spacchi che attraversano le bende, è attribuibile ai residui della imbalsamazione della mummia, come lo sono le macchie scure disseminate su tutta la superficie in corrispondenza con le quali infatti si sono per lo più aperte quelle fenditure. I margini fra le bende presentano tracce sia di tagli netti eseguiti con le forbici, sia di strappi.
Appare difficile, invece, individuare e isolare aspetti dello stato di conservazione del *liber* imputabili al suo stato primitivo – precendente cioè il reimpiego da parte del mummificatore egiziano – se non forse nel fatto stesso del progressivo deperire delle bende e del loro interrompersi con lembi per lo più sfilacciati e assottigliati, verso l'estremità destra: dove potrebbe comprendersi un'usura maggiore, nell'ipotesi di una coincidenza di questa parte con l'inizio effettivo del libro.

Proporzioni e struttura.
Il libro si sviluppava da destra a sinistra, articolato in colonne larghe circa 24 cm e separate l'una dall'altra da uno spazio di circa 1,8/2,0 cm. La doppia linea verticale rossa che, nella versione oggi offerta dal libro disteso, divide le colonne del testo l'una dall'altra, e la lunghezza stessa delle righe, concorrono a rendere più pertinente la definizione delle singole superfici di testo come vere e proprie "pagine", ciascuna autonomamente riquadrata dalla filettatura rossa che probabilmente, nel primitivo stato del libro, era completata anche in alto e in basso mediante due tratti orizzontali.
L'invalicabilità stessa del limite assegnato al testo dalla cornice (si veda ad esempio il caso della riga 33 della decima pagina, dove lo scriba non ha voluto uscir fuori dal margine segnato neppure per lo spazio di una semplice "i"), si aggiunge alle considerazioni già fatte in precedenza quale indizio di una struttura esterna del libro che offriva le pagine alla lettura una per una, senza che l'occhio potesse sconfinare oltre i limiti di ciascuna di esse.
Fin dalle prime pubblicazioni o menzioni del libro di Zagabria se ne era proposta, sulla scorta delle numerose raffigurazioni di rotoli (*volumina*) su monumenti etruschi – soprattutto d'età ellenistica – una ricostruzione in forma arrotolata; è invece assai probabile che esso assomigliasse piuttosto a un *codex*, dal formato esterno corrispondente a quello della singola pagina e nel quale le pagine stesse si susseguissero ripiegate "a fisarmonica" l'una sull'altra. La presenza, apparentemente esuberante, oltre la dodicesima pagina (circa a metà della quale il testo ha termine), di un lungo margine privo di testo, chiaramente distinto in una tredicesima pagina, anch'essa incorniciata, vuota e in un piccolo lembo finale di circa 9 cm si spiegherebbe facilmente: esso doveva servire infatti a richiudere il libro, ripiegandosi su di esso e avvolgendolo così da proteggerne entrambi i labbri.
Il libro così ricostruito idealmente trova per il momento solo rarissime possibilità di riscontro su monumenti figurati: quelli finora individuati si limitano a tre. Il primo è rappresentato dal *liber* raffigurato sul coperchio di un sarcofago proveniente dalla "Tomba dei Sarcofagi" di Cerveteri e conservato al Museo Gregoriano Etrusco; il secondo è quello analogamente raffigurato su di una statua-cinerario chiusina del Museo di Berlino (inclusa nell'esposizione); il terzo si può riconoscere nella celebre tomba ceretana "dei Rilievi", dov'è collocato sopra un grande scrigno che campeggia a sinistra del loculo destinato alla coppia principale del sepolcro, sulla parete di fondo.
Da queste raffigurazioni si ha, se non altro, la conferma che all'impiego del lino, o di fibre tessili in genere, per uso scrittorio, in Etruria, si accompagnavano forme *ad hoc*, coerenti con le caratteristiche ed esigenze specifiche del materiale.
Non disponiamo purtroppo di argomenti perentori per definire le proporzioni originali del *liber linteus* di Zagabria. Per quanto riguarda la sua lunghezza, tuttavia, va osservato che, ove si immaginasse l'inizio del libro coincidente con il margine destro della prima colonna di testo conservata (della quale la benda 5 soltanto serba una porzione), l'intero drappo ne conseguirebbe una lunghezza complessiva precisa di *dodici* piedi attico-romani (29,6 cm); lunghezza che potrebbe avere qualche rapporto intenzionale con lo sviluppo del testo su *dodici* colonne. Inoltre, come si è già accennato, lo stato stesso di conservazione del libro verso l'estremità destra, dove tutte le bende presentano o fenditure longitudinali o assottigliamenti o sfilacciature, con i quali contrasta nettamente quello dell'estremità opposta, pressoché integra, sembra confermare la prossimità, in questa zona, del primitivo inizio del libro.

Statua-cinerario chiusina degli Staatliche Museen di Berlino (DDR)

Dettaglio della parete di fondo della "Tomba dei Rilievi" di Cerveteri

Il "drappo ripiegato" dietro la testa del personaggio, dettaglio del coperchio del sarcofago proveniente dalla Tomba dei Sarcofagi di Cerveteri, oggi al Museo Gregoriano Etrusco, nella Città del Vaticano, inv. 14949

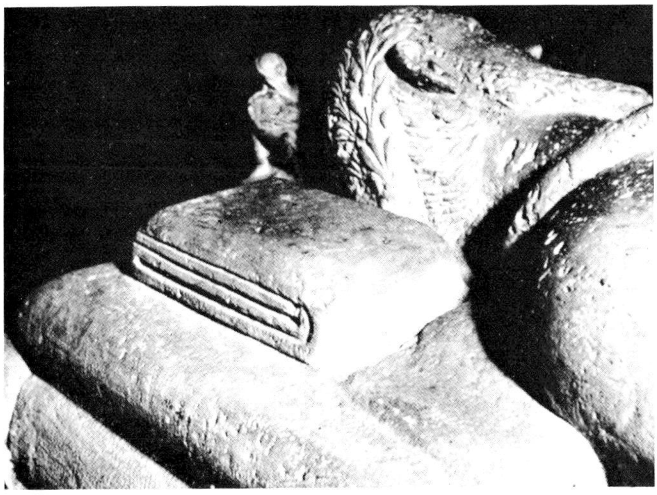

Ricostruzione del sistema di piegatura delle bende

Circa l'altezza si può soltanto dire che, indipendentemente da indicazioni desumibili dal testo stesso, un armonico rapporto fra larghezza ed altezza della pagina ne suggerisce uno sviluppo verticale complessivo non superiore ai 40/45 cm: quello che si otterrebbe appunto integrando la serie di bende superstiti con le due necessarie e sufficienti a contenere – in alto e in basso – il completamento del testo e le linee rosse – superiore e inferiore – della cornice della pagina. L'ipotesi rispetta anche il più verosimile e semplice criterio e metodo seguito dal mummificatore egiziano nel riutilizzo della "pezza" di cui si trovò a disporre: quello cioè di tagliarla sempre a metà, fino a ricavarne otto bende di più o meno pari altezza.

Il formato che se ne ricava trova al tempo stesso una convalida e un significativo riscontro in quello di almeno quattro delle Tavole di Gubbio (I-II, VI-VII), delle quali ripete le proporzioni con l'esattezza che è lecito chiedere a calcoli di questo tipo: il "modello" delle prime due darebbe infatti, per il *liber*, un'altezza di 44 cm, e quello delle ultime due di 40 cm.

F.R.

Il testo.

L'apografo che qui si presenta risponde all'esigenza non soltanto di suffragare – meglio ancora di quanto non facciano le pur eccellenti riprese fotografiche a colori all'infrarosso – la lettura proposta, con le novità ch'essa contiene, ma prima ancora di visualizzare, in condizioni rese artificialmente ottimali, la realtà del documento originario, della sua impaginazione, del rapporto concreto fra le varie parti del contenuto testuale e il luogo e il modo della sua consegna allo specifico supporto funzionale.

Per motivi contingenti non si è potuto rinviare l'esecuzione dell'apografo al termine del restauro: ciò, se non ha comportato sacrifici per quanto riguarda la lettura effettuata – non è prevedibile che il restauro stesso possa migliorarla – ha invece richiesto l'adozione di alcuni correttivi d'ordine grafico. Poiché infatti le bende hanno subìto, nel loro reimpiego attorno alla mummia, deformazioni (torsione, contrazione o tensione) diverse l'una dall'altra, si è provveduto, sia nella

Serie di immagini che documentano le fasi di piegatura finale delle bende

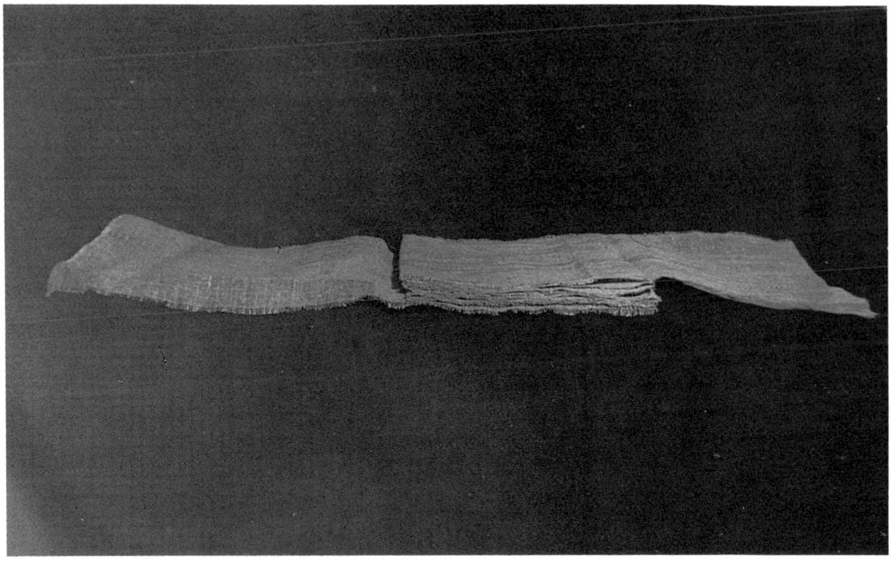

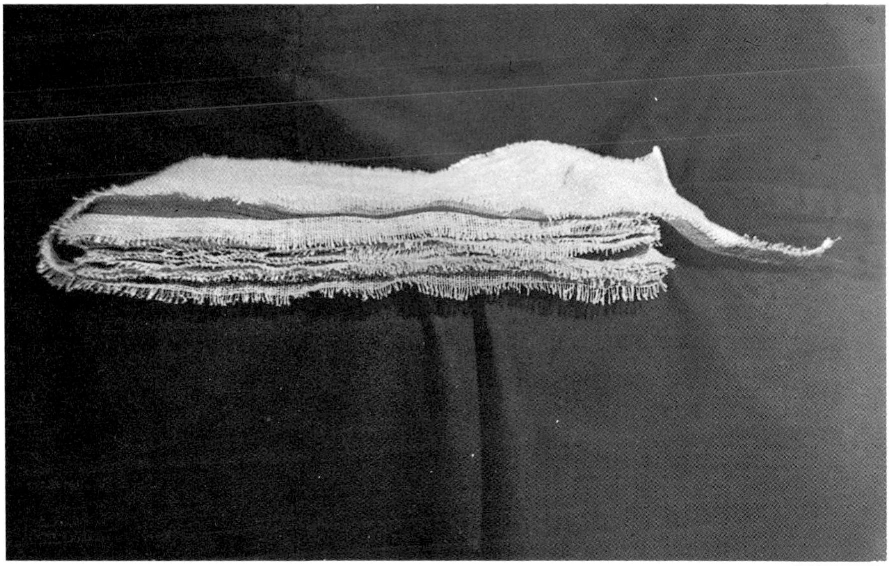

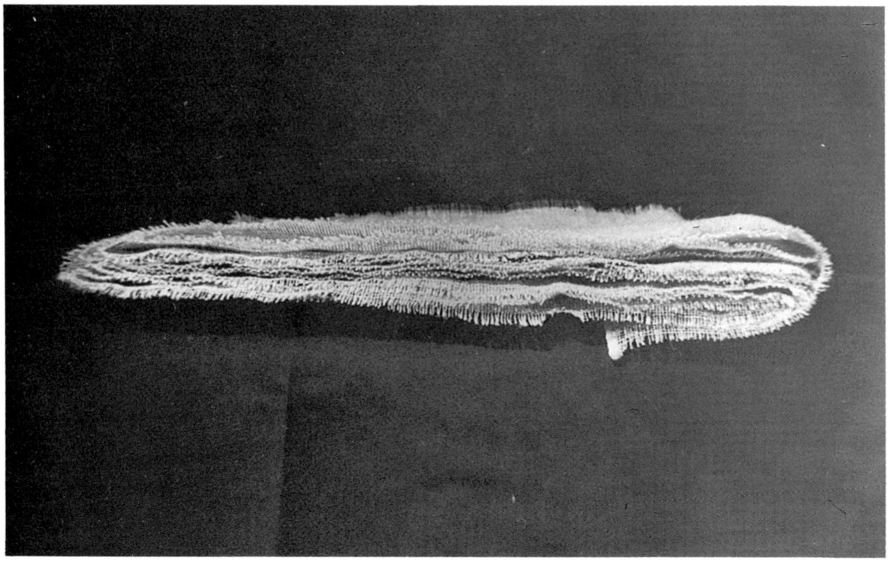

composizione dell'apografo che in quella delle tavole fotografiche, a ripristinare sul lato destro di ciascuna colonna l'allineamento verticale originario del filetto rosso e dei capoversi ad esso paralleli; sul lato sinistro invece si è rispettata, dove sussiste, la spezzatura dalla cornice derivante dalla suddetta difformità dello stato di conservazione delle bende, lasciando al lettore di ricostruirne idealmente la primitiva continuità.
A margine della trascrizione del testo si sono segnalate le varianti apportate alla lettura rispetto all'indice lessicale etrusco più aggiornato: quello del *Thesaurus Linguae Etruscae* edito dal Centro di Studio per l'Archeologia Etrusco-Italica del Consiglio Nazionale delle Ricerche (Roma 1978).
Sempre nello spirito di una riproposizione del documento nella sua integrità d'origine, con la sua eloquenza e le sue reticenze, si sono indicate come illeggibili, nella trascrizione, quelle lettere, *di per sé* non chiare, la cui interpretazione in altre edizioni del testo di Zagabria è fondata sulla ricostruzione teorica, altrimenti motivata, di interi brani del testo medesimo.

Legenda
a lettura certa
a lettura incerta
x lettera illeggibile
– spazio corrispondente a una lettera mancante
| separazione certa fra parole, non interpunta
/ presenza di un complemento sovrapposto in fine di riga

N.B. Per evidenziare immediatamente, anche nelle successive citazioni del testo, la distribuzione relativa reale dei passi del *liber*, si è estesa anche alle colonne meno conservate una numerazione delle righe corrispondente a quella adottata nelle colonne più integre.

C.B. *F.R.*

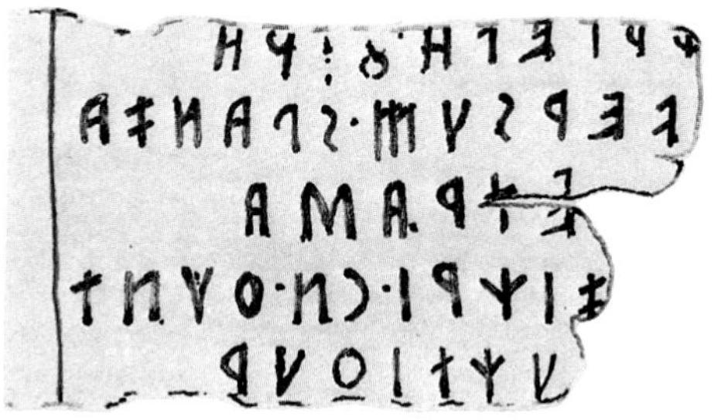

I

– –
–
– –
– –
– –
– –
– –
– –
– –
– –
– –
– –
– –
– –
– –
– –
– –
– – – – – – – – – – – – – – – – – – – **χ r i·e p a·f** ***i*** **r n** *Thes. ri* *t*ei af()*un*
– – – – – – – – – – – – – – – – – – – **v e r s u m·s p a n z a**
– **x t r a ś a**
– **z i χ r i·c n·θ u n t** *Thes. za*χri
– **u χ t i θ u r**
– –
– –
– –
– –
– –
– –
– –
– –
– –
– –
– –
– –

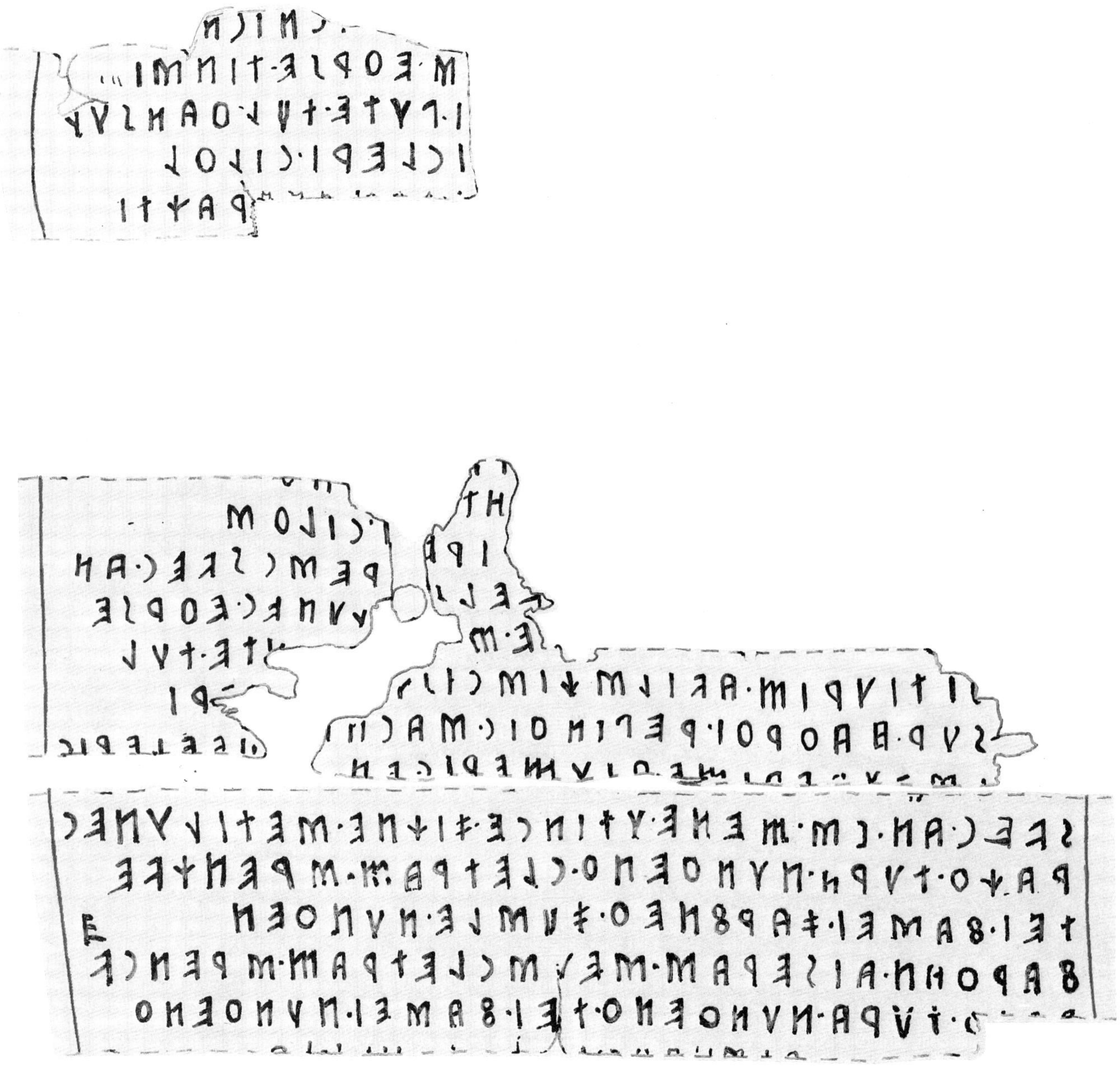

II

67

– x *c* n i c·x
– – – – – – – – – – – – – – – – – – ś·e θ r s e·t i n ś i x
– – – – – – – – – – – – – – – – – – i·p u t e·t u l·θ a n s u r
– – – – – – – – – – – – – – – – – – i c l e r i·c i l θ l
– – – – – – – – – – – – – – – – – – x x x x x x r a χ t i
– –
– –
– –
– –
– – – – – – – – – – – – – – – – – – x x
– – – – – – – – – – – – – – – – – – x x – – – – x x
– – – – – – – – – – – – – – – – – – – t r *z* – *i*·c i l θ ś — *Thes.* (··)cilθś
– – – – – – – – – – – – – – – – – *v* e l s – r e ś c·s v e c·a n
– – – – – – – – – – – – – – – – – e·ś·– – – l u n e c·e θ r s e — *Thes.* ś[eti]*r*unec
– – x *i* t i u r i m·a v i l ś·χ i ś·c i s x x x x x x *u* t e·t u l
– x s u r·h a θ r θ i·r e p i n θ i c·ś *a c n i* – – *e* r i
– – x x x x x x x x *m e θ l u m e r i c·e n* x x x x x x x *e r i c*
s v e c·a n·c ś·m e n e·u t i n c e z i χ n e·ś e t i r u n e c
r a χ θ·t u r a·n u n θ e n θ·c l e t r a m·s r e n χ v e
t e i·f a s e i·z a r f n e θ·z u ś l e·n u n θ e n
f a r θ a n·a i s e r a ś·ś e *u* ś·c l e t r a m·s r e n c$^{e}_{v}$ /
– – – x t u r a·n u n θ e n θ·t e i·f a ś e i·n u n θ e n θ
– – – – – – – – x x x x x x x x x – x – – – x x x x
– –
– –
– –
– –
– –
– –
– –
– –
– –
– –
– –

III

1 –

2 **m u l a c·x – – – – – – – – – – – – r s *i*·p u r u θ n·e p r i s**

3 **h i l a r e·a – – – – – – – – – – – – m u x a χ·z u ś l e v a** *Thes.* (··)[mul]aχ zuśleva

4 **m a c·c a v – – – – – – – – – – – – – – – u m·*h* u s l n a** *Thes.* [vin]um husina

5 **l a e t i m·h – – – – – – – – – – – – – – – x x x *ś*·c a p *e* r i**

6 –

7 –

8 –

9 –

10 –

11 –

12 **– – – r·e t n a m·t e s i m·e – *n a m*·x – – – – x**

13 **c x *e* t r a m·ś r e n c v *a*·t x – x x x *v* x e x x χ x x *t* | *f* l e r** *Thes.* cletram·srenχve tr*inθ*ezine·χim

14 **t a r c·m u t i n u m·a n a n c v x ś·n a *c·c a l t a* r c**

15 **θ e z i·v a c l·a n·ś c a n i n c *e s a* x x s a θ·p e *θ* s i n** *Thes.* ścanin *crxas*xxx *a*θ *ver*sin

16 **c l e t r a m·ś r e n χ v e·i χ·ś c a·*n i n*·c e c *l* z·v a c l** *Thes.* cletram·srenχve i*n* ścanin cxxxχ

17 **a r a·n u n θ e n e·ś a θ a *ś*·n a χ v e·h e χ *z*·m u l e** *Thes.* śaθaś·naχva·hetum·ale

18 **v i n u m·u s i·t r *l* n x x f l e r e·i n·c r a p ś t i** *Thes.* usi·trin*ce* flere

19 **u n·m l a χ·n u n θ e n | θ a *c* l θ i·θ a r θ i e·c i a *l*** *Thes.* θaclθi·θ*ar θi*xx*ia*xxx*aś*

20 **h u s l n e·v i n u m | e ś i s e s e r a m u e r·a *c* u ś e**

21 **f a ś e i ś·p u r e ś t r e s·e n a ś | e θ r s e·t i n ś i**

22 **t i u r i m·a v i l ś·χ i ś·c i s u m·p u t e·t u l *θ a n s***

23 ***h a n t e c·r e p i n e* – ś p u r e r i·m e θ *l u m e r i c***

24 –

25 –

26 –

27 –

28 –

29 –

30 –

31 –

32 –

33 –

34 –

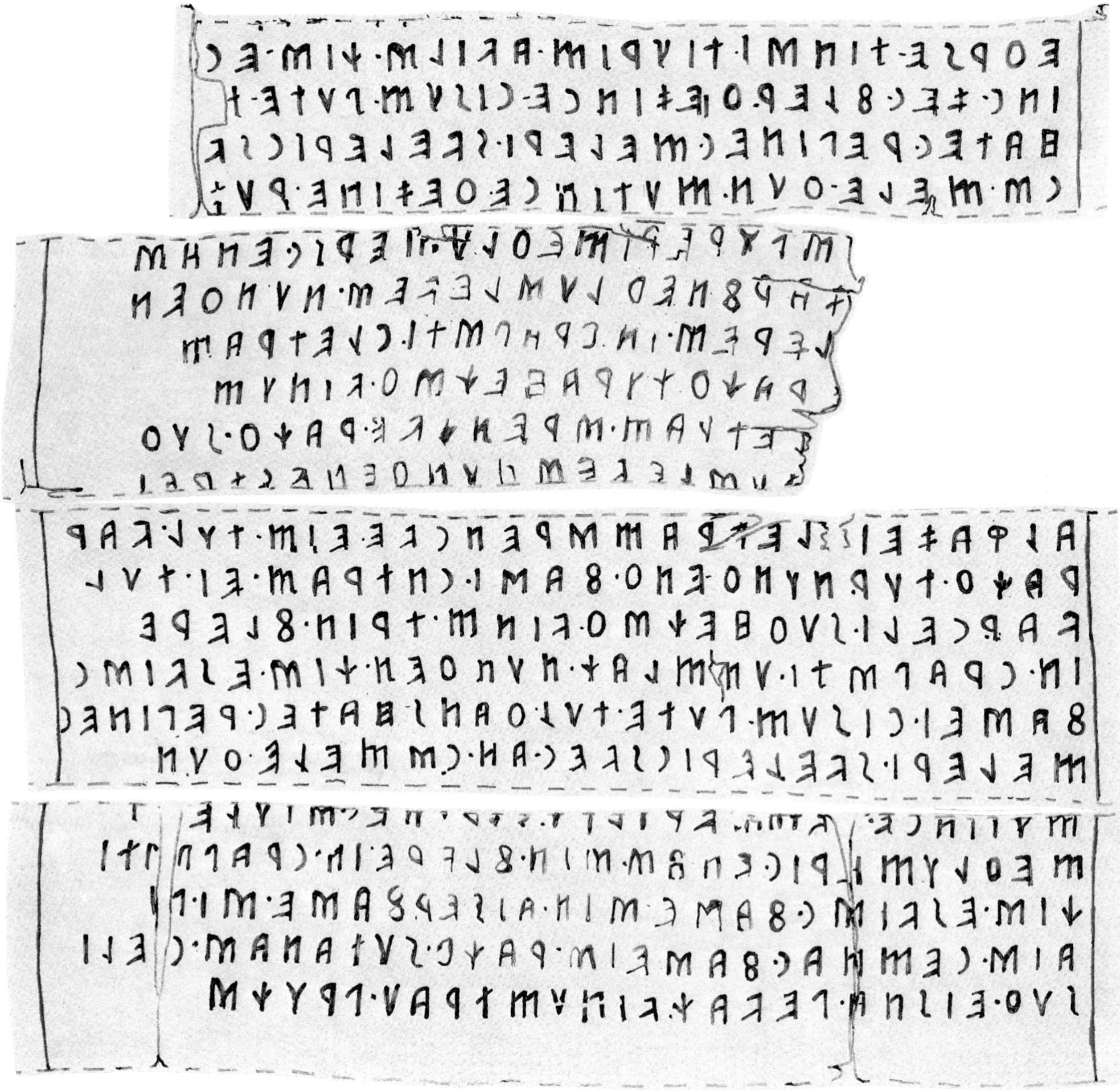

IV

– – – – – – – – – – – – – – – x – – – – x x – – – x – – – – – – –
eθrse·tinśi·tiurim·avilś·χiś·ec – – – – – – – –
inc·zec·fler·θezince·cisum·pute·t – – – – –
hatec·repinec·meleri·sveleric·sv – – – – – –
cś·mele·θun·mutince·θezine·ru*t* – – – – – – –
– – – – – – – – – śpureri|meθlu*m*eric·enaś
– – – – – – – – zar·fneθluśleveś·nunθen
– – – – – – – – lereś·in·crapsti·cletram
– – – – – – – – *e*·raχθturaheχśθ·vinum
– – – – – – – xetram·śrenχve·raχθ·suθ
– – – – – – – – *z*uśleveś·nunθen·estrei
alφazei·xletram·śrencve·eim·tul·var
raχθ·tur·nunθenθ·faśi·cntram·ei·tul
var·celi·suθ|heχśθ·vinm·trin·flere
in·crapśti·u*m*mlaχ·nunθen·χiś·esviśc
faśei·cisum·pute·tul·θans·hatec·repinec
meleri·sveleric|*s*vec·an·cśmele·θun
mutince·xet*m*xerxxlx·uxlunec·śpurei *Thes.* ··*nuzlχnec* śpureri
meθlum*e*ric·enaś·śin·flere·in·crap*ś*ti
χiś·esviśc·faśeśin·aiser·faśe·śi·n
aiś·cemnac·faśeiś·raχθ·sutanaś·celi
suθ·eisna·pevaχ·vinum·trau·pruχś
– –
– –
– –
– –
– –
– –
– –
– –
– –
– –

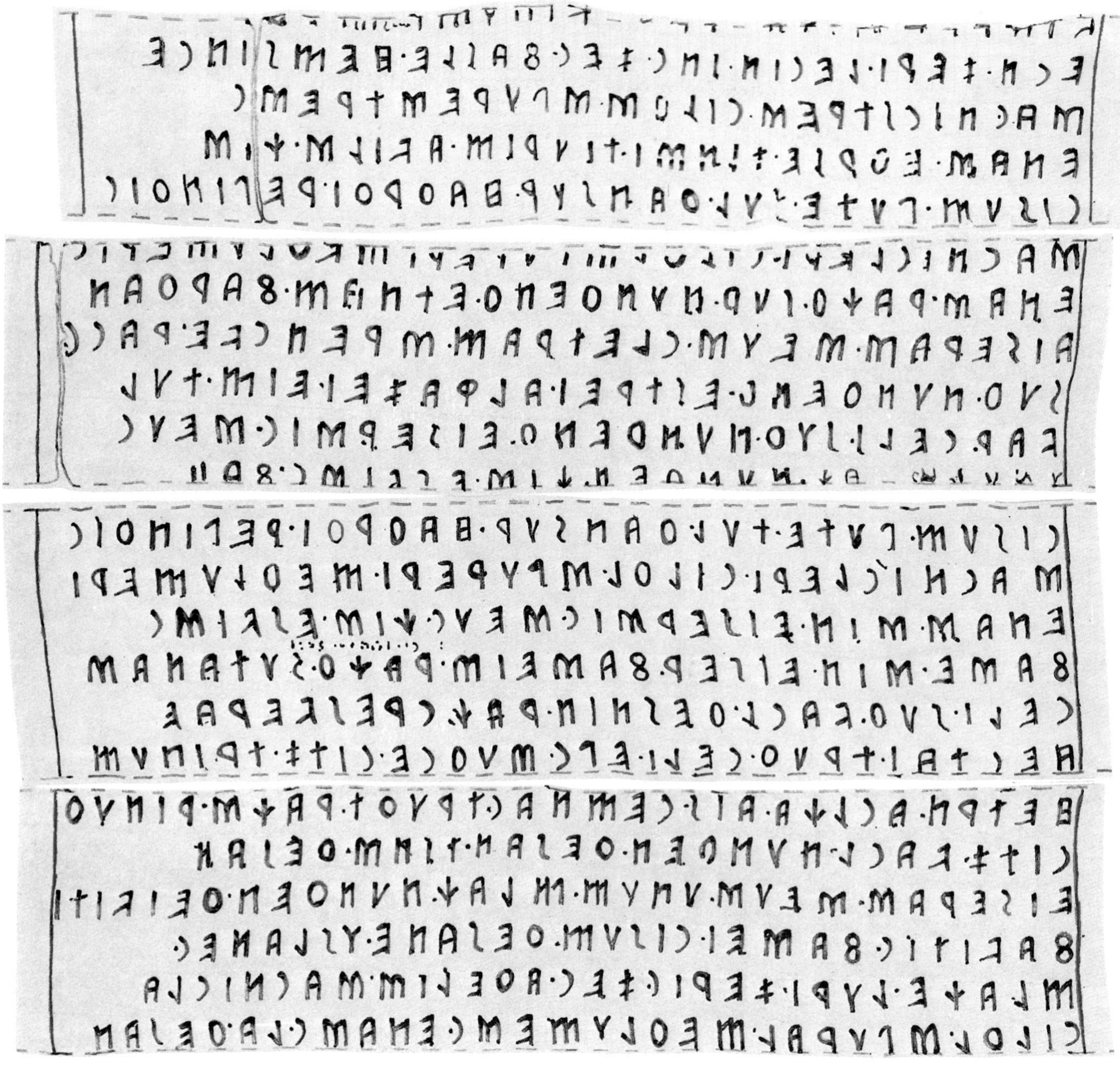

V

vi*n*xxxxxxxxxxx*vinum*xxxxxxx *Thes.* un[·mlaχ]nun[n]θen
ecn·zeri·lecin·*i*nc·zec·fasle·hemsince
śacnicstreś·cilθś ·śpureśtreśc
enaś ·eθrse·tinśi·tiurim·avilś·χiś
cisum·pute·tul·θansur·haθrθi·repinθic
śacnicleri·cilθl|śpureri·meθl*u*mer*i*c
enaś·raχθ·suθ·nunθenθ·etnam·farθan
aiseraś·śeuś·cletram·śrencve·racθ
suθ·nunθenθ·estrei·alφazei·eim·tul
varceli·suθ·nunθenθ·eiser·śic·śeuc
xxxxx*a*χ·nunθen·χiś·eseiśc·faś*ei* *Thes.* χiś·esviśc·faś*ei*
cisum·pute·tul·θansur·haθrθi·repinθic
śacnicleri·cilθl·śpureri·meθlumeri
enaś·śin·eiser|śic·śeu*c*·χiś·esviśc

xxxxx

faśe·śin·eiser·faśeiś·raχθ·sutanaś
celi·suθ·vacl·θesnin·raχ·cresverae
hectai·truθ·celi·epc·suθce·citz·trinum *Thes.* he*vtai*·truθ
hetrn·aclχa·ais·cemnac·truθt·raχś·rinuθ
citz·vacl·nunθen·θesan·tins·θesan
eiseraś·śeuś·unum·mlaχ·nunθen·θeiviti
favitic·faśei·cisum·θesane·uslanec
mlaχe·luri·zeric·zec·aθeliś·śacnicla *Thes.* mlaχ[·]eluri·zeric
cilθl·śpural·meθlumeśc·enaśc·la·θesan *Thes.* enaś cla·θesan
- -
- -
- -
- -
- -
- -
- -
- -
- -
- -
- -

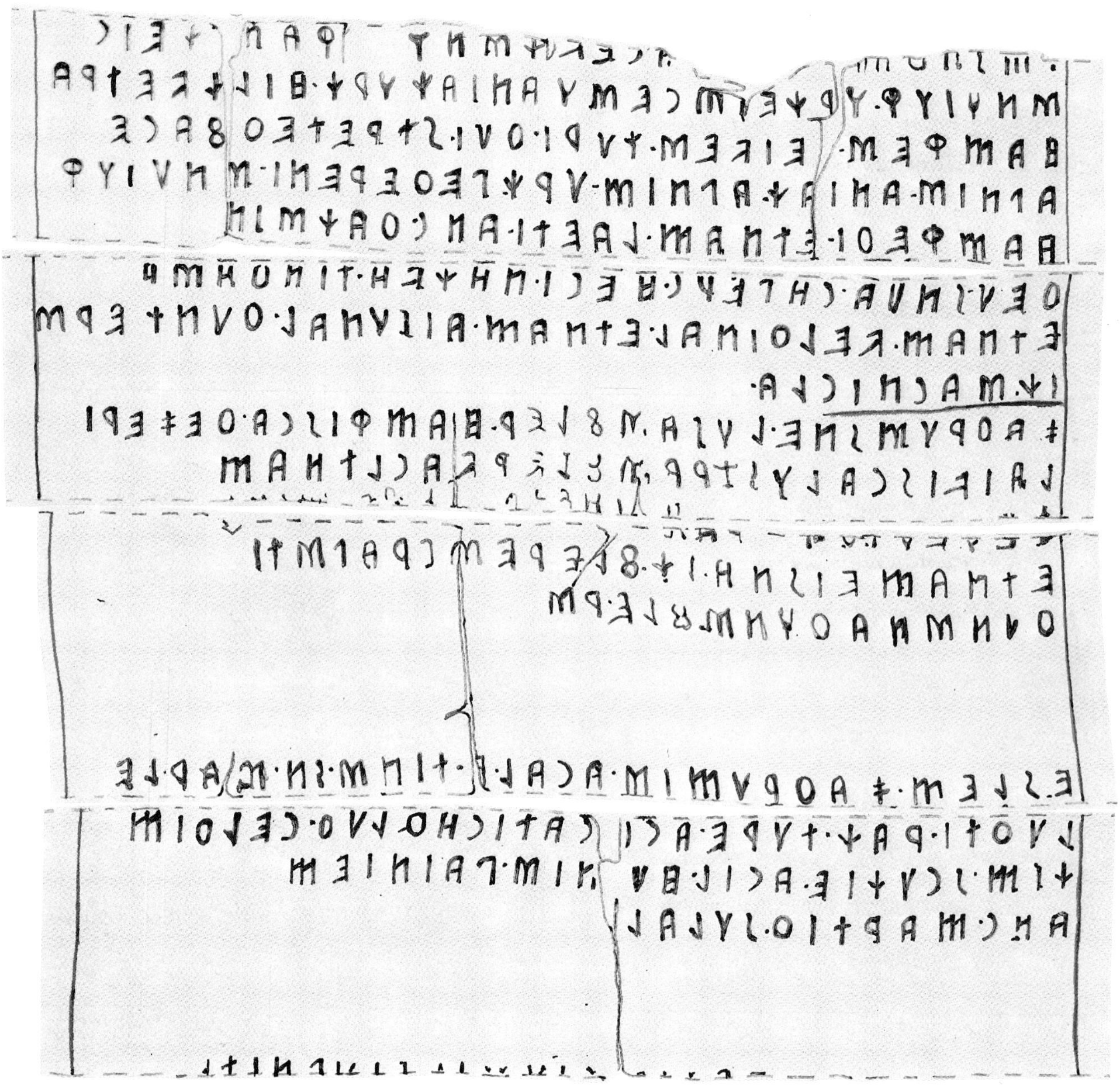

VI

1	x*min*θx – – – x*cev*χ*śn*xxx*φan*xχeic	*Thes.* ··ce*va* śnutuφ (xx) *anc leic*
2	śnuiuφ·urχe·xs·ces*u*·aniaχ·urχ·*h*ilχvetra	*Thes.* snu*t*uφ iχ *reu*śceśc
3	hamφeś·xeiveś·turi·θui·streteθ·face	
4	apniś·aniaχ·apnim·urχ·peθereni·śnu*i*uφ	*Thes.* apniś·urχ·peθereni śnutuφ
5	hamφeθi·etnam·laeti·anc·θaχśin	
6	θeusnua·caperc·heci·naχva·tiaθaśa	*Thes.* naχ·va·tinθaśa
7	etnam·velθinal·etnam·aisunal·θunχ·erś	
8	iχ·śacnicla·	
9	zaθrumsne·*lusaśfle*r·hamφisca·θezeri	
10	laivisca·lustraś·fler·vacltnam	*Thes.* laivisca lustr*e*ś·fler
11	x*euvr*xxxxxxx – – – x – – – – – – – – – – – – – – – – – –	
12	etnam·eisna·iχ·flereś|crapśti	
13	θunśna·θunś·flerś	
(14)		
(15)		
(16)		
17	eslem·zaθrumiś·acale·tinś·in·śarle	*Thes.* tinśin śar*ve*
18	luθti·raχ·ture·acixc|ati·caθ·luθ·celθim	*Thes.* acil[·]catica[·]θluθ·ceiθim
19	χim·scuχie·acil·hu*p*niś·painiem	
20	anc·martiθ·sulal	
(21)		
(22)		
(23)		
24	– – – – – – – – – xxxxxxxxxxxxx*pnit*x	
25	– –	
26	– –	
27	– –	
28	– –	
29	– –	
30	– –	
31	– –	
32	– –	
33	– –	
34	– –	

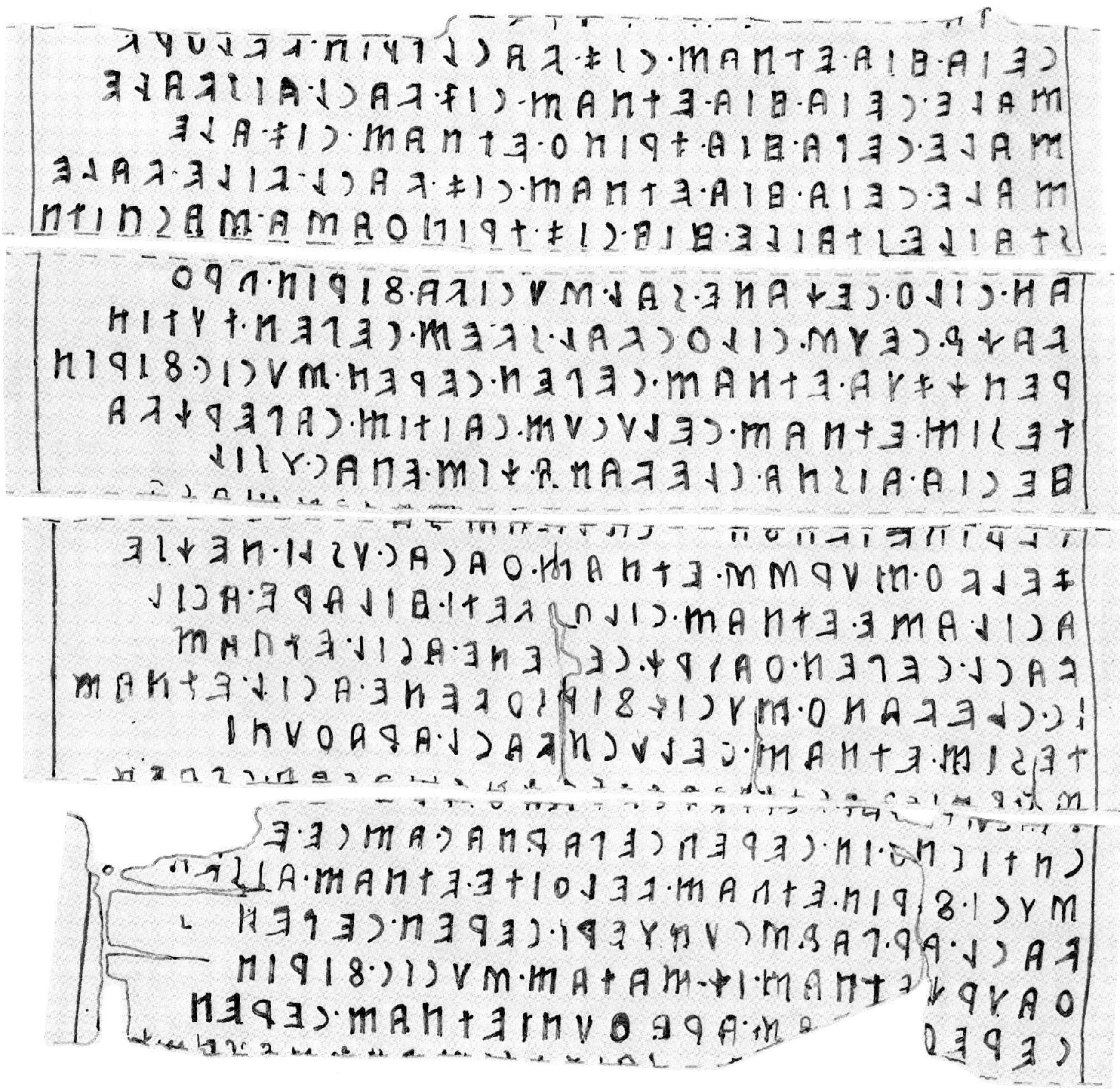

VII

x x *i a* – – – – – – – x x x x x x – – – – – – – – – – – –
c e i a·h i a·e t n a m·c i z·v a c l|t r i n·v e l θ r e
m a l e·c e i a·h i a·e t n a m·c i z·v a c l·a i s v a l e
m a l e·c e i a·h i a·t r i n θ·e t n a m·c i z·a l e
m a l e·c e i a·h i a·e t n a m·c i z·v a c l·v i l e·v a l e
s t a i l e·s t a i l e·h i a·c i z·t r i n θ a ś a·ś a c n i t n — *Thes.* staile·itrile·hia
a n·c i l θ·c e χ a·n e·s a l·ś u c i v a·f i r i n·*a* r θ — *Thes.* ceχane·sal·śucivn·firin
v a χ r·c e u ś·c i l θ c v a l·s v e m·c e p e n·t u t i n
r e n χ z u a·e t n a m·c e p e n·c e r e n·ś u c i c·f i r i n
t e s i m·e t n a m·c e l u c u m·c a i t i m·c a p e r χ v a
h e c i a·a i s n a·c l e v a n a·χ i m·e n a c·*u s i l* — *Thes.* aisna·clevan*θ*·χim
x *e* r *i n* e x e *a* x x – – c x x x *a ś* x x x x *m a c* x
z e l v θ·m u r ś ś·e t n a m·θ a c a c·u s l i·n e χ s e
a c i l·a m e·e t n a m·c i l θ x v e t i·h i l a r e·a c i *l*
v a c l·c e p e n·θ a u r χ·c e x *e* n e·a c i l·e t n a m
i c·c l e v a n θ·ś u c i χ f *i r i* θ v e n e·a c i l·e t n a m
t e s i m·e t n a m·c e l u c n·v a c·l·a r a·θ u n i
ś x x x x – – x x x x x x x x x x x x x x x x – – – – – – – – – –
c n t i c n *θ*·i n·c e r e n c e p a r·n a c·a m c e·e – – – – –
ś u c i·f x r i n·e t n a m·v e l θ i t e·e t n a m·a i s v x – –
v a c l·a r·p a r·ś c u n u e r i·c e r e n·c e p e n – – – – – — *Thes.* vacl·ar·*v*ar·ś*cun*·zeri
θ a u r χ e t n a m·i χ·m a t a m·ś u c i c·f i r i n
c e r e x – – – x ś·a r a·θ u n i|e t n a m·c e r e n
– – – – – – – – – – – x x x x x x x x x x x x x x x x – – – – – – – – – – –
– –
– –
– –
– –
– –
– –
– –
– –
– –
– –

VIII

θucte·ciś·śariś·esvita·vacltxxm — *Thes.* śariś·esvitn·vacltnam
ir e
culścva·spetri·*e*xnam·i·c·esvit*l*exśxxx — *Thes.* ic·*es*vitxe·amxx|eri

celi·huθiś·zaθrumiś·flerχva·neθunsl
śucri·θezeric·scara·priθaś|raχ·tei
m*enaś*·cltral·mulaχ·huslna·vinum — *Thes.* mulaχ·husina·vinum
laivetsm·acilθ·ameranem·scare — *Thes.* *pai*veism·acilθ
reuχzina·caveθ·zuślevac·macra·murθi — *Thes.* zuślevac·macra·*śur*θi
reuχzineti·ramueθ·vinum·acilθ|ame
mula·hursi·puruθn·vacl·usi·clucθraś
caperi·zamθic·vacl·ar·flereri·sacnisa
sacnicleri·trin·flere·neθunsl·une
mlaχ·puθs·θaclθ·θartei*z*i*vaśfler*
θezine·ruze·nuzlχne·zati·zatlχne
śacnicśtreś·cilθś·śpureśtreś·enaś
eθrse·tinśi·tiurim·avilś·χiś·hetrn
aclχn·aiś·cemnaχ·θezin·fler·vacl
etnam·tesim·etnam·celucn·trin·alc
– xxx
– –
– –
– –
– –
– – – – – – – – – – – – – – – – x*na*χva·ara·nunθene
– – – – – – – – – – – – – – – – – le·huslneśtś
– – – – – – – – – – – – – – – – – l·un·mlaχ·nunθen
– – – – – – – – – – – – – – – – – huslne·vinum|eśi
– – – – – – – – – – – – – – – – – faśeic·śacnicśtreś
– xxxtinśi

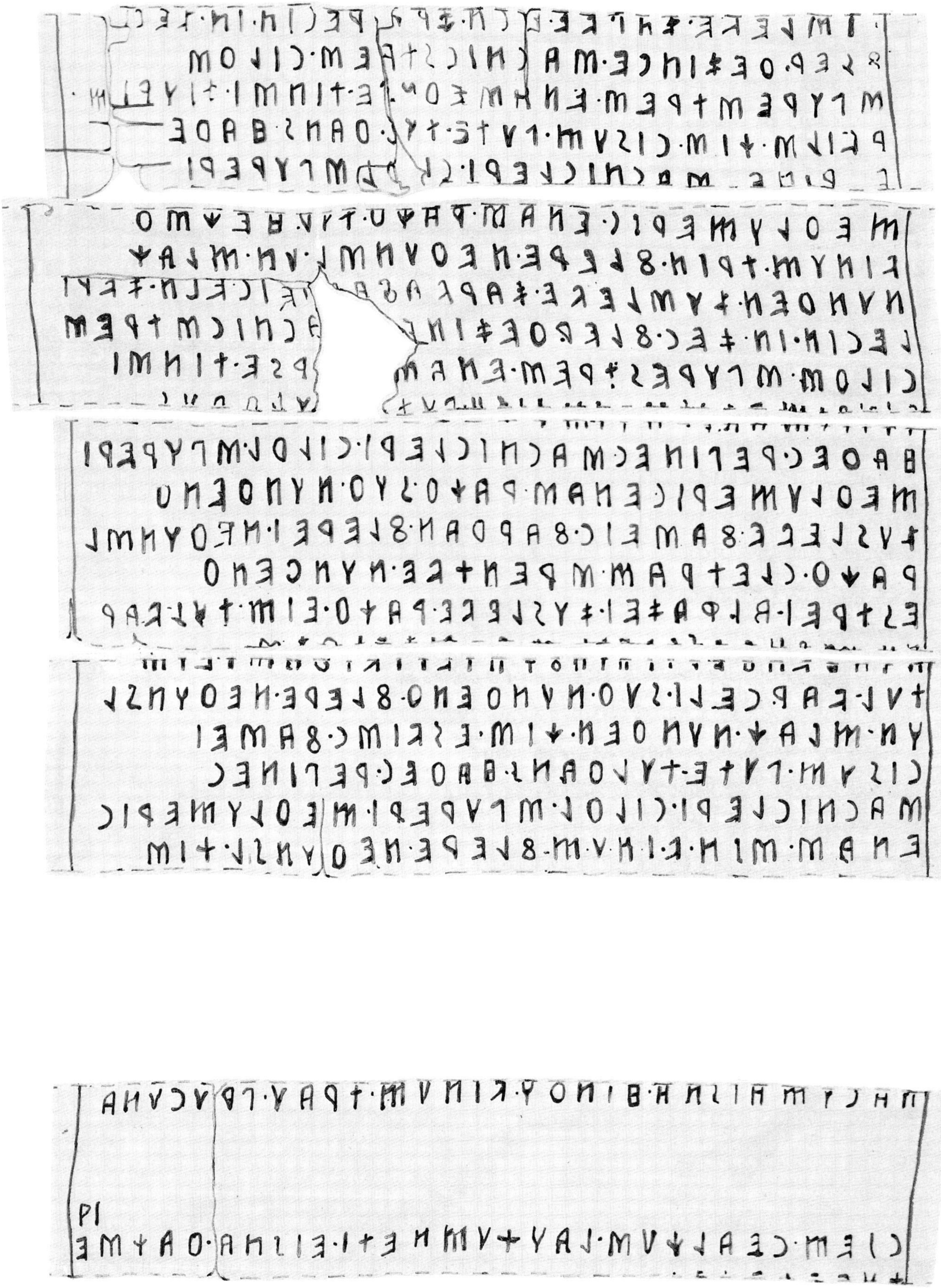

IX

1 xxśleve·zar*ve*·xcn·z*er* – *r*ecin·in·*zeci*

2 f*l*er·θezince·śacnicstreś·cilθś

3 śpureśtreś·enaś|eθxxe·tinśi·tiurim·

4 *avilś*·χiś·cisum·pute·tu*l*·θans|haθe

5 *rxpinec*śacnicleri·ci – θ·śpureri

6 meθlumeric·enaś·raχθ·tur·heχśθ

7 vinum·trin·flere·neθunś*l*·un·mlaχ

8 nunθen·zuśleve·zar*va*·*fa* – – *e*ic·ecn·zeri *Thes.* zuśleve·zar ve·faś *e*ic

9 lecin·in·zec·fler·θezinx – – – *a*cnicśtreś

10 cilθś·śpurestreś·ena*ś* – – – rse·tinśi

11 *tiurimavilś*xxxxxx*put*x – – – *u*xxx*uc*

12 haθec·repinec·śacnicleri·cilθl·śpureri

13 meθlumeric·enaś·raχθ·suθ·nunθenθ

14 zuslevefaśeic·farθan·flerei·neθunśl *Thes.* farθan·fleres·neθunśl

15 raχθ·cletram·śrenχve·nunθenθ

16 estrei·alφazei·zuslevé·raχθ·eim·tul·*v*ar

17 *nunθenθ*xxxei*alφ*azeixei*fas*x*eim*

18 tul·var·celi·suθ·nunθenθ·flere·neθunsl

19 un·mlaχ·nunθen·χiś·esviśc·faśei

20 cisum·pute·tul|θans·haθec·repinec

21 śacnicleri·cilθl·śpureri·meθlumeric

22 enaś·śin·vi·n·u·m·flere·neθunsl·χiś

23 –

24 –

35 –

26 –

27 –

28 –

29 nacumaisna·hinθu·vinum·trau·prucuna

(30)

(31)

(32)

33 ciem·cealχuś·lauχumneti·eisna·θaχ$\overset{ir}{\text{ś}}$e/

34 turxxxxx – – – – – – – – – – – – – – xxxx – – – – – –

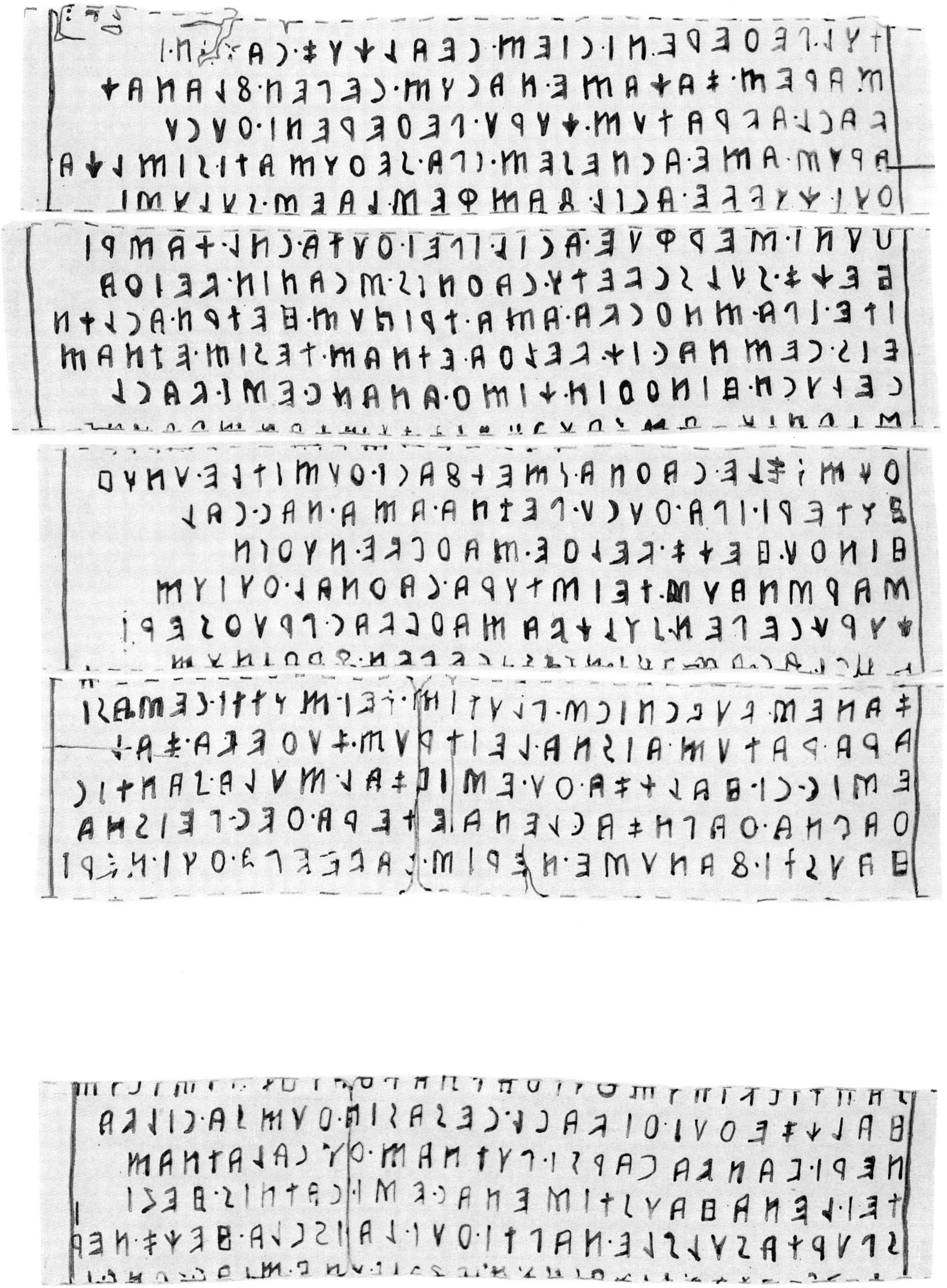

X

1 – x x x
2 *t u l* | p e θ e r e n i·c i e m·c e a l χ u z·c a x – n i
3 m a r e m·z a χ a m e·n a c u m·c e p e n·f l a n a χ
4 v a c l·a *v* r a t u m·χ u r u·p e θ e r e n i·θ u c u
5 a r u ś·a m e·a c n e s e m·i p a·s e θ u m a t i·s i m l χ a
6 θ u i·χ u r v e·a c i l·h a m φ e ś·l a e ś·s u l u ś i — *Thes.* ax*c*x*u*rve·acil
7 θ u n i·ś e r φ u e·a c i l·i p e i·θ u t a·c n l·χ a ś r i
8 h e χ z·s u l s c v e t u·c a θ n i s·ś c a n i n·v e *l* θ a
9 i t e·i p a·m a θ c v a·a m a·t r i n u m·h e t r n·a c l χ n
10 e i s·c e m n a c·i χ·v e l θ a·e t n a m·t e s i m·e t n a m
11 c e l u c n·h i n θ θ i n·χ i m θ·a n a n c·e ś i·v a c l
12 *ś i* x x x x x x x x x x x x x x x x x x x m i·x x m x x x x x
13 θ u m i x l e·c a θ n a·*i* m e l f a c i·θ u m i t l e·u n u θ
14 h u t e r i·i p a·θ u c u·p e t n a·a m a·n a c·c a l
15 h i n θ u·h e χ z·v e l θ e·m a θ c v e·n u θ i n — *Thes.* velθe·*śancve*·nuθin
16 ś a r ś n a u ś·t e i ś t u r a·c a θ n a l·θ u i u m
17 χ u r u c e p e n·s u l χ v a·m a θ c v a c·p r u θ s e r i
18 x x x x *a c* x *ś* x x x n x x x x c e p e n·x x x i n u m
19 z a n e ś·v u v c n i c ś·p l u t i m·t e i·m u t *t* i·c e ś a s $\overset{n}{i}$ / — *Thes.* tei·mutzi·ceśasi/n
20 e s i c·c i·h a l χ z a·θ u·e ś i c z a l·m u l a·s a n t i c
22 θ a p n a·θ a p n z a c·l e n a | e t e r a·θ e c·p e i s n a — *Thes.* *le*na·esera·θec
23 h a u s t i·f a n u ś e·n e r i ś·x *a v e* – –·θ u i · n e r i
24 – – – – – x x x – – – – – – – – – x – x x x x x x x x
25 –
26 –
27 –
28 –
29 s a n t i c | v i n u m | θ u i | θ a p n a i·θ – x x x x x x m *i* c u m
30 h a l χ z e·θ u i·θ i | v a c l·c e s a s i n·θ u m *s* a·c i l v a
31 n e r i·v a n v a *v* a r s i·p u t n a m·θ u·c a l a t n a m
32 t e i·l e n a·h a u s t i ś·e n a c·e ś i·c a t n i s·h e *c* i
33 s p u r t a | s u l s l e·n a p t i·θ u i·l a i s c l a·h e χ z·n e $\overset{i}{r}$ /
34 x x x x x x x x x x x x x x x x x x x x x x x x x n e·m x *a* x x n θ i — *Thes.* une·mlaχ(··)ni

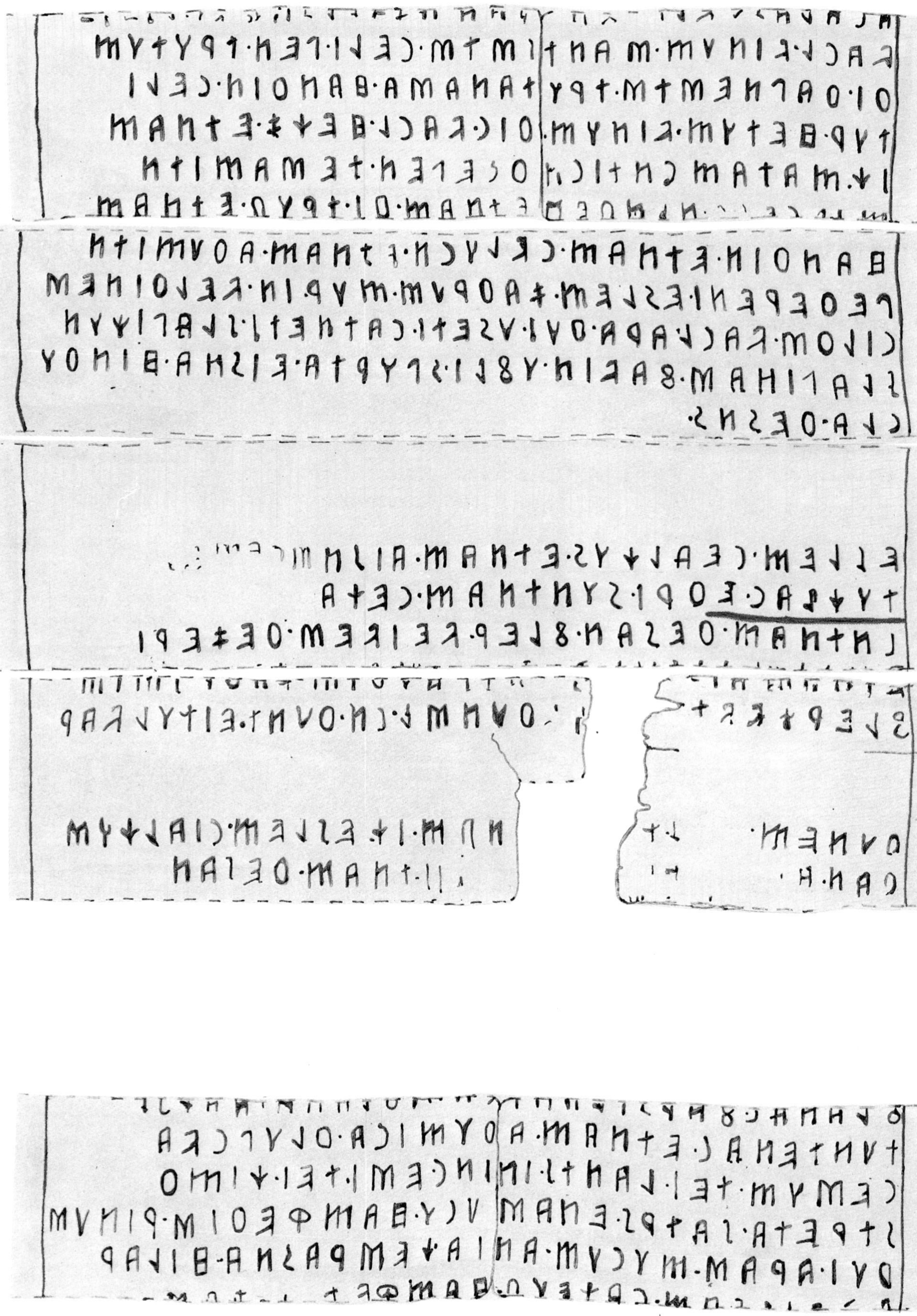

XI

1 a c a l *a* x x *e* x x x x x x x a n x x x x l x x x x x x x x x x
2 v a c l·v i n u m·ś a n t i ś t ś·c e l i·p e n·t r u t u m
3 θ i·θ a p n e ś t ś·t r u t a n a ś a·h a n θ i n·c e l i
4 t u r·h e t u m·v i n u m·θ i c·v a c l·h e χ z·e t n a m
5 i χ·m a t a m | c n t i c n θ·*c e p* e n·t e ś a m i t n
6 m x c x x x n u n θ e n | e t n a m·θ i·t r u θ·e t n a m
7 h a n θ i n·e t n a m·c e l u c n·*e* t n a m·a θ u m i t n
8 p e θ e r e n i·e s l e m·z a θ r u m·m u r·i n·v e l θ i n e ś
9 c i l θ ś·v a c l·a r a·θ u i·u s e t i·c a t n e t i·s l a p i χ u n — *Thes.* useti·catneis·slapiχun
10 s l a p i n a ś·f a v i n·u f l i·s p u r t a·e i s n a·h i n θ u — *Thes.* ufli·spurtn·eisna
11 c l a·θ e s n s·
(12)
(13)
(14)
15 e s l e m·c e a l χ u s·e t n a m·a i s n ś x x x x x
16 t u χ l a c·e θ r i·s u n t n a m·c e χ a
17 c n t n a m·θ e s a n·f l e r·v e i v e ś·θ e z e r i
18 *e t n a m* a i x x – – – x x x x x h x *θ i ś z* x θ – i *m i ś*
19 f l e r χ v e t x – – – x θ u n s l·*c* n·θ u n t·e i | t u l | v a r — *Thes.* *n*eθunśl *in*·θunt
(20)
(21)
22 θ u n e m·x x x *l x* – – – – *n* a m·i χ·e s l e m·c i a l χ u s
23 θ a n a x x x x x x x x – – – x x x t n a m·θ e s a n
24 –
25 –
26 –
27 –
28 –
29 f l a n a c·f a r s i x x x x x x x x x x x x x x x a χ x i
30 t u n t e n a c·e t n a m·a θ u m i c a·θ l u p c v a — *Thes.* *aθu*mica·*θluθcva*
31 c e ś u m·t e i·l a n t s·i n i n c·e ś i·t e i·χ i m θ — *Thes.* tei·rinuś
32 s t r e t a·s a t r s·e n a ś — u c u·h a m φ e θ i ś·r i n u ś — *Thes.* θ*ucu*·hamφeteś·*rinuś*
33 θ u i·a r a ś·m u c u m·a n i a χ e ś r a s n a·h i l a r
34 x x x x x x x m·c a t x u a·h a m φ e *t* x x x x *t e* ś

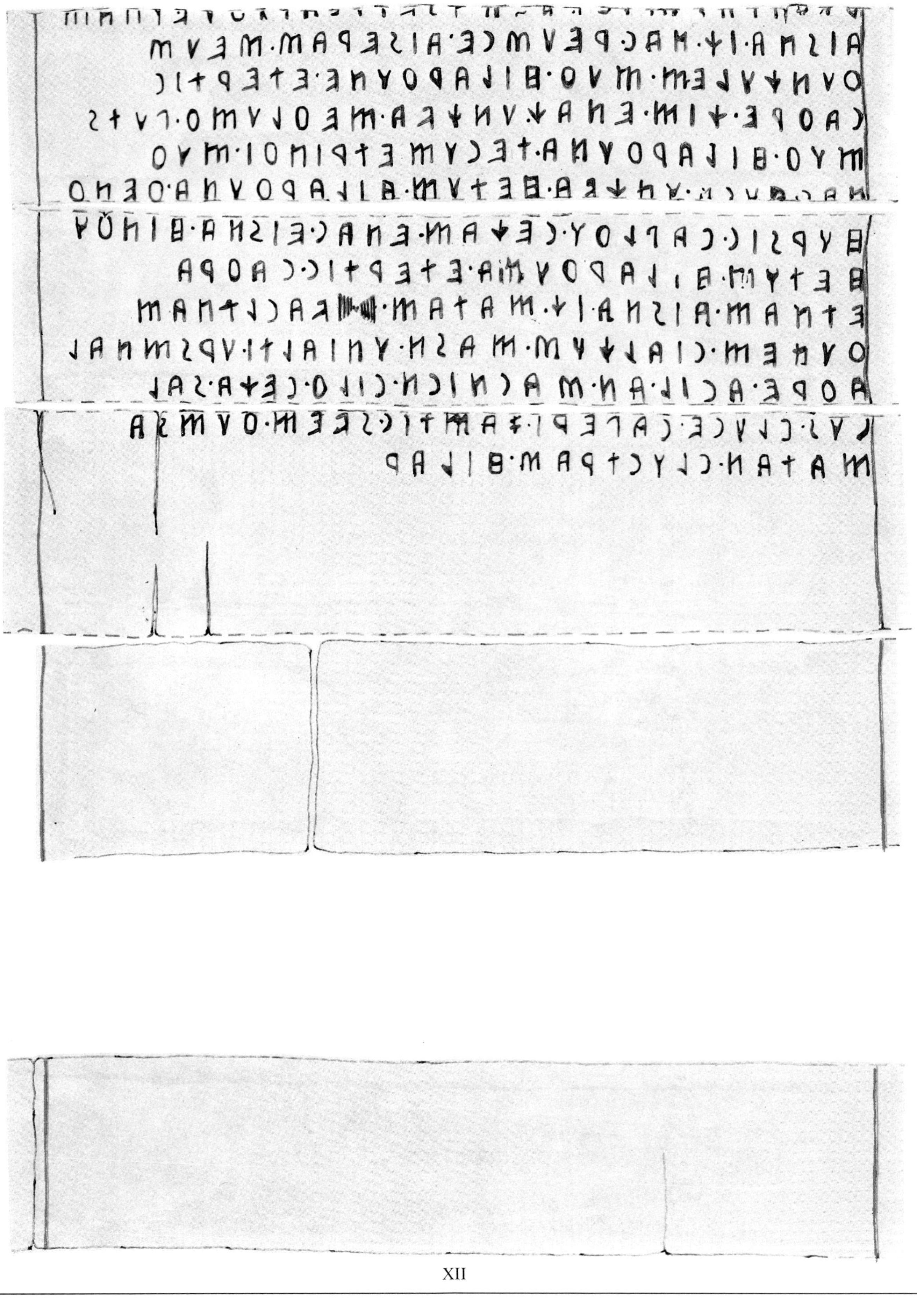

XII

r x x x x x x x x x x x x x x x x e x x c x x l θ x *e t n a m*
a i s n a·i χ·n a c·r e u ś c e·a i s e r a ś·ś e u ś
θ u n χ u l e m·m u θ·h i l a r θ u n e·e t e r t i c
c a θ r e·χ i m·e n a χ·u n χ v a·m e θ l u m θ·p u t s
m u θ·h i l a r θ u n a·t e c u m e t r i n θ i·m u θ
n a c·*θ* u c x u n χ v a·h e t u m·*h* i l a r θ u n a·θ e n θ
h u r s i c·c a p l θ u·c e χ a m·e n a c·e i s n a·h i n θ u
h e t u m·h i l a r θ u m a·e t e r t i c·c a θ r a
e t n a m·a i s n a·i χ·m a t a m· v a c l t n a m
θ u n e m·c i a l χ u ś·m a s n·u n i a l t i·u r s m n a l
a θ r e·a c i l·a n·ś a c n i c n·c i l θ·c e χ a·s a l
c u s·c l u c e·c a p e r i·z a m t i c·s v e m·θ u m s a *Thes.* cus·eluce·caperi
m a t a n·c l u c t r a ś·h i l a r

Criteri di redazione.

La redazione del *liber linteus* di Zagabria è opera di un esperto amanuense. La grafia è infatti di sorprendente regolarità. L'impostazione delle lettere è perfettamente verticale (la loro inclinazione in alcune zone del *liber* è dovuta allo stato di conservazione della benda), la loro altezza, costante, è di circa 7 mm e altrettanto regolare è la spaziatura fra le righe, di 11 mm.

Le righe constano di un minimo di 26 e di un massimo di 35 lettere: tracciate a partire dalla distanza di 2 mm dalla linea rossa del margine destro, rispettano il sinistro contemperando, con assoluta evidenza, questa esigenza con quella di evitare le spezzature di parola. Così, in alcuni rari casi (col. II, riga 21; col. VIII, riga 5; col. IX, riga 33; col. X, riga 19 e 33) le ultime lettere di una parola, che uscirebbero dal limite segnato dalla riquadratura a sinistra, vengono sovrapposte – "arricciate" – alle precedenti, con andamento invertito.

Appare singolare il comportamento dello scriba in ordine all'interpunzione. Un punto a mezz'altezza divide di norma le parole (mai al termine della riga), ma le omissioni sicure sono talmente frequenti da doversi considerare sintomo della scarsa rilevanza relativa assegnata dallo scriba a questo accorgimento grafico rispetto alla globale "ritualità" del suo operato. Egli copia, con ogni evidenza, un testo di tradizione già consolidata, e sembra dosare ad arte la spaziatura "orizzontale" delle lettere, consapevole in anticipo della lunghezza di ogni riga e pronto, se del caso, a rinunciare all'interpunzione, cui comunque è raramente assegnato uno spazio maggiore di quello che distanzia fra loro anche le lettere non interpunte. In sostanza, mentre egli sembra operare su di un testo, e nel solco di una tradizione, in cui sopravvivono le tracce arcaiche della *scriptio continua*, allorché rifugge dallo spezzare le parole e ne capovolge il complemento in fine di riga, richiama in vita addirittura l'antico costume scrittorio bustrofedico, nel quale il testo fluiva ininterrotto in righe dalla direzione alterna, senza ritorni "a capo".

In due soli casi certi, che parrebbe semplicistico espungere come errori, (col. III, r. 21:ś·pureśtres; col. VIII, r. 33: śacnicś·treś) alcune parole, altrove redatte senza interruzioni, appaiono interpunte al loro interno. Nell'incertezza se sia anche questa, o meno, traccia di una diversa tradizione grafica, mi sembra comunque di poter dire che l'inserimento, titubante e facoltativo, dell'interpunzione disgiuntiva fra le parole sia l'apporto più "recente" fra quanti il testo ce ne presenta accumulati.

Il libro è suddiviso in paragrafi più o meno lunghi, vistosamente separati da spaziature maggiori o minori, che evidentemente segnalano partizioni o "stacchi" al livello del contenuto del testo. Altri "segnali" vengono affidati dallo scriba all'inchiostro rosso (oggi purtroppo quasi impercettibile). Oltre che nella cornice delle pagine, esso è infatti utilizzato per alcuni segni cui certamente è da assegnare il valore di "istruzioni" o "avvertenze" per il lettore. Così ad esempio il lungo tratto a "L" che, sulla colonna XI scende lungo il margine destro dalla riga 12 alla 13 sottolineando le prime parole di questa: e vale la pena di segnalare la stretta somiglianza che questi aspetti della redazione e del testo, sommandosi a quanto si è già constatato a proposito del "formato", presentano con le Tavole Iguvine (soprattutto le I-II, e III-IV) dove si hanno analoghe partizioni e, in un caso (tav. V riga 13) una sottolineatura incisa delle prime parole della riga che è l'esatto equivalente di ciò che nel libro è realizzato in inchiostro rosso, alla colonna VI, riga 8. Fra questi segni è da annoverare la serie di barrette verticali di altezza diversa alla riga 9 dell'ultima colonna: non un segno numerale, come si era pensato in un primo tempo, bensì un contrassegno – piuttosto intuitivo – di forte separazione, che potrebbe isolare dal resto la frase conclusiva.

Rientra certo in questo apparato il caso – unico – della parola *vinum* – alla col. IX, riga 22, nella quale tutte le lettere sono divise da un punto: luminoso spiraglio sulla natura del libro, in cui la parola "vino" – ricorrente nel testo – di evidente significato rituale è scandita, come a suggerirne una lettura prolungata (cantata?), o spezzata, probabilmente ad accompagnare i tempi di un gesto, o un'azione liturgica.

Grafia e lingua.

I caratteri in cui il testo è redatto rientrano nel quadro dell'alfabeto etrusco medio-recente; i confronti migliori (ma va tenuto conto della eccezionalità del mezzo qui impiegato) si possono collocare intorno al III-II sec. a.C., e portano a un'area geografica situabile fra Perugia, Cortona e il Lago Trasimeno. Il segno a tridente per il *chi*, il *phi*, la *ypsilon*, la *rho* ancora con tratto verticale sporgente in basso resistono a un eccessivo abbassamento cronologico (sono stati proposti il I sec. d.C., e più recentemente il I sec. a.C.) come anche la forma rettangolare del segno "*h*", in ambiente settentrionale: a meno che non lo si voglia considerare come segno di una contaminazione "meridionale" nella formazione dello scriba, da affiancarsi all'uso ormai generalizzato da parte sua, per la notazione della velare sorda, del segno *gamma* la cui diffusione in ambiente etrusco settentrionale, al posto del tradizionale *kappa*, è acquisita appunto nel III sec. a.C. Occorre poi ricordare che anche *epsilon* e *digamma* sono erette, contrariamente al modulo tradizionalmente più diffuso in ambiente settentrionale, dove sono inclinate in avanti.

Si riscontra inoltre una peculiarità del testo, che si colloca a metà fra il livello grafico e quello propriamente linguistico: fin dai primi studi, infatti, è stata segnalata l'abbondanza delle varianti adottate dallo scriba nella trascrizione di una stessa parola: ciò che è parso potersi interpretare come sintomo non solo di una redazione estremamente tardiva, ma addirittura di una scarsa conoscenza della lingua etrusca da parte del trascrittore. Basteranno alcuni esempi:

oscillazioni fra *t* e *th:*
cluctraś -clucθraś
zamtic -zamθic
oscillazioni fra *c* e *ch:*
cemnac -cemnaχ
enac -enaχ
oscillazioni fra *ai* e *ei:*
aiser – eiser
oscillazioni fra *s, ś, z:*
ais – aiś
śacnicstreś – śacnicśtreś
sacnicleri – śacnicleri
cealχus- cealχuś – cealχuz

Si rifletta che, ad esempio, la diversa notazione della sibilante, con il *sigma* (Σ) o con lo *tsade* (M), indica, sia in ambiente etrusco settentrionale che in quello meridionale, diversi valori ("pronunce") di essa, ma di funzione invertita nell'uno e nell'altro ambiente; e che processi quali ad esempio le spirantizzazioni della muta (-c -χ; t -θ) o la riduzione del dittongo (-ai -ei), sembrano essersi realizzati col tempo: si capirà dunque quale significato non si possa *non* annettere a simili oscillazioni in un testo impegnativo come quello del *liber linteus* di Zagabria. Non potendosi assolutamente accedere all'idea di un etrusco ormai "lingua morta" al tempo della sua stesura, non resta che un'altra ipotesi: quella di un testo in cui la sedimentazione e conservazione di tradizioni grafiche disparate si giustifichi alla luce della sua stessa natura. È noto come l'ambito religioso sia fortemente conservatore, quello in cui l'innovazione, quando c'è, non "abolisce"; ed è altrettanto noto che la civiltà etrusca visse nella dimensione religiosa il proprio più forte spunto unificante: è dunque comprensibile che sia il carattere cultuale del testo a spiegare l'accumulo in esso di tradizioni risalenti a tempi, luoghi, codificazioni diverse, coesistenti nei limiti in cui la loro eterogeneità non compromettesse la comprensibilità dell'enunciato. Infatti si osserva che, dove il valore della sibilante connota una desinenza (è cioè attivo linguisticamente), l'oscillazione si arresta a favore di una scelta tipicamente "settentrionale".

Il contenuto.

Non è possibile riferire qui di tutti gli sforzi d'interpretazione avutisi sull'intero testo o sue parti o singole parole. Più utile ci sembra ripercorrere brevemente le tappe logiche attraverso le quali il testo si è venuto chiarendo nella sua costruzione di massima, in taluni suoi rapporti interni, in rari significati certissimi: privilegiando, nei limiti del possibile, ciò che un comune lettore attento può verificare rispetto al molto che sarebbe costretto ad accettare supinamente.

Fu evidente fin dai primi studi del *liber* che ciascuno dei paragrafi in cui il testo è suddiviso esordisce con parole fra le quali s'individua la presenza di numerali (il sistema numerale etrusco è infatti abbastanza riccamente documentato sia dalle indicazioni d'età contenute nelle epigrafi sepolcrali, sia da eccezionali "traduttori" come i dadi d'avorio provenienti da Tuscania e conservati alla Bibliothèque Nationale di Parigi, sulle cui facce sono incise le parole indicanti i valori da uno a sei). Questi numeri appaiono disposti in sequenza: ad es.: col. VIII 9, *huθiś zaθrumiś* = ventisei; col. IX 33, *ciem cealχus* = ventisette; col. XI 15, *eslem cealχus* = ventotto; col. XI 22, *θunem (cealχus)* = ventinove. In almeno due casi inequivocabili tali numeri compaiono affiancati da nomi di mesi, sul cui significato c'informano glossari ed eruditi antichi quali il *Liber Glossarum* (VIII sec.) e il Vocabolario di Papia (XI sec.): così il passo d'esordio della col. VI 17: *"eslem zaθrumiś acale"* si traduce "il diciotto di giugno" poiché "Aclus Tuscorum lingua Iunius mensis dicitur" e alla col. VIII 9: *"celi huθiś zaθrumiś"* significa "il ventisei di settembre" perché "Celius Tuscorum lingua September mensis dicitur" (*Testimonia Linguae Etruscae,* 801, 824). Che dunque il contenuto del testo fosse articolato in forma di calendario, fu presto evidente.

Della natura di questo calendario sono poi indizio eloquente i nomi di divinità che traspaiono dal testo, anche altrimenti attestati nel *pantheon* etrusco: primo fra tutti Nettuno, *neθuns-* (col. VIII, 9), ma anche altre minori come Veiove, *veive-* (col. XI, 17) o la divinità *caθ-, caθa,* il cui nome si legge alla col. VI, 18, ed è presente nelle parole *caθnis* (col. X, 8), *caθra* (col. XII, 8), *caθre* (XII, 4).

Evidente a chiunque si inoltri nella lettura è poi il ricorrere di intere sequenze di parole; ciò che da un lato suona conferma del carattere rituale dell'enunciato, dall'altro consente di "isolare" varianti significative: la stessa menzione di un'altra divinità fra le più importanti del *liber*: *crapśti* (col. III, 18; IV, 19; VI, 12) emerge dal parallelismo fra i contesti che la includono e quelli in cui compare *neθuns*. Si tratta in questo caso di una divinità non altrove attestata in Etruria, che trova un significativo raffronto soltanto nelle Tavole Iguvine (ed è la terza volta che il nostro libro ci porta a guardare in quella direzione!): là dove l'epiteto "Grabovio" qualifica un aspetto comune alle tre divinità Giove, Marte e Vofiono. Si colloca in questo ambito un'importante indicazione fornita dalla nuova lettura che qui proponiamo del passo della col. VI, 18, dove appare la sequenza *ati.caθ.luθ.celθim.* nella quale, preceduti dall'appellativo "ati" di significato indiscusso ("madre") si susseguono tre nomi di divinità ben note *caθ*, *luθ* e *cel,* attestate tra l'altro (le ultime due in modo preminente) nell'area compresa fra Arezzo, il Lago Trasimeno e il Perugino. Colpisce in particolare il confronto con una dedica votiva su di una statuetta bronzea proveniente da Castiglione del Lago (*Testimonia Linguae Etruscae,* 625) indirizzata alla dea *cel ati* nel suo luogo o santuario: *"celθi"* (anche la formazione del locativo è in etrusco fra gli aspetti più chiari); un luogo, o santuario o tempio, di *cel* è qui menzionato dunque nello stesso modo, e la suggestione sembra ricca sia dal punto di vista del contenuto del *liber* che da quello della localizzazione della sua pertinenza cultuale e provenienza geografica.

Un'ulteriore serie di indizi ha consentito di precisare il carattere religioso del contenuto nel senso della prescrizione cultuale: la parola *vacl,* che ricorre più volte nel testo e ricompare nella più arcaica forma *vacil* in quello della Tegola di Capua, indica con sicurezza l'oggetto di un'offerta, un gesto rituale: si pensa ad una libazione. La parola *vinum,* la cui importanza è segnalata, oltre che dal suo apparire in passi precisi del libro (col. III, IV, X, XI) dal fatto di esservi una volta scandita, come si è detto, in modo che rende fortemente probabile la concomitanza fra la sua pronuncia e l'azione rituale (col. IX, 22), compare spesso in presenza di nomi di recipienti (la cui interpretazione è assicurata dal loro occorrere sui vasi stessi, in iscrizioni per lo più arcaiche in cui l'oggetto precisa la propria natura ed appartenenza in prima persona): *θapna* (col. X, 22), una coppa; *pruχs* (col. IV, 22), una brocca; altro termine di sicuro significato rituale è *spanza* (col. I, 19) diminutivo di *spanti,* termine di antica diffusione italica (presente nelle Tavole Iguvine) che in etrusco significa piatto: "patella"?

Occorre ricordare ancora, nelle frequentissime sequenze: *śacnicleri... śpureri meθlumeric* (col. V, 6), *śacnicla... śpural... meθlumeś* (col. V, 22-23), *śacnicśtreś... śpureśtreś...; śvelśtreś* (col. VIII, 20; II, 13) la chiara giustapposizione di indicazioni che accompagnano l'introduzione ai riti, in cui si contiene la nozione di sacro (*śacni-*), di pubblico, della comunità civile (*śpur-*) e del distretto territoriale (*meθlum-*) e, secondo una proposta recente, la nozione di "privato" (*śvel-*): sia che con esse si indichino gli attori dei riti, gli ammessi a prendervi parte, che, più probabilmente, i beneficiari dell'effetto propiziatorio di essi. Ma su questo terreno non è il caso, in questa sede, di addentrarsi in particolari ancora altamente opinabili, e di cui sarebbe impossibile render conto in misura soddisfacente.

Il *liber linteus* di Zagabria è dunque un libro liturgico nel quale sono contenuti testi e prescrizioni rituali disposti in forma di calendario. In tale senso la sua classificazione fra i *libri rituales* che, secondo gli autori antichi, componevano la summa della *disciplina etrusca* (Cic. *de div.* I 72), è ineccepibile; purchè sia chiaro che l'approccio al tema è in esso funzionale e non "letterario": dalla struttura esterna, che ne esalta la consultabilità, alla distribuzione interna delle parti: oltre all'addensarsi dei già visti segni diacritici, si pensi all'infittirsi verso la parte finale di capitoletti brevi, in alcuni dei quali si rinvia a passi riportati in precedenza. Per contro, emerge nella parte centrale del libro, all'inizio della colonna VII (1-6), un testo dall'andamento cantilenante, forse di struttura poetica, certo ricco di assonanze e, soprattutto, estraneo al repertorio lessicale predominante nel resto del libro. Un passo la cui lettura forse non era prevista per un solo rito.

Concluderò accennando a un'altra nuova lettura che qui si propone per la prima volta, e che giudico attinente al tema di questa mostra. Nel frammento residuo della I colonna conservata, si legge ora (integralmente alla riga 21, forse parzialmente alla 18) la parola *ziχri*, in cui ritengo si debba riconoscere il tema verbale *ziχ-* "scrivere" (presente sia nella Tegola di Capua che nel Cippo di Perugia, ma in posizione finale) formato dalla desinenza *-(e)ri* che, anche in altre parti del *liber*, connoterà formule di tipo "necessitativo" o "iussivo" (come *θezeri, θaχseri* ecc.) con le quali verrà introdotto un rito (si faccia, si deve fare, è da farsi, ecc.). A questa forma verbale segue il noto pronome dimostrativo, in funzione oggettiva *cn*(*θunt*): "si scriva questo", "è da scriversi questo": è notevole che la menzione di uno "scritto" (*ziχne*) riappaia, per scomparire definitivamente, nella II colonna (riga 18): è assai probabile che questa porzione del libro contenesse la garanzia – sotto forma di prescrizione appunto – della ritualità stessa della sua redazione, della sua ortodossia e validità. Sarebbe così proprio il primo lembo superstite delle bende ad assicurare che l'originario inizio dell'intero libro non era, in quel punto, lontano.

F.R.

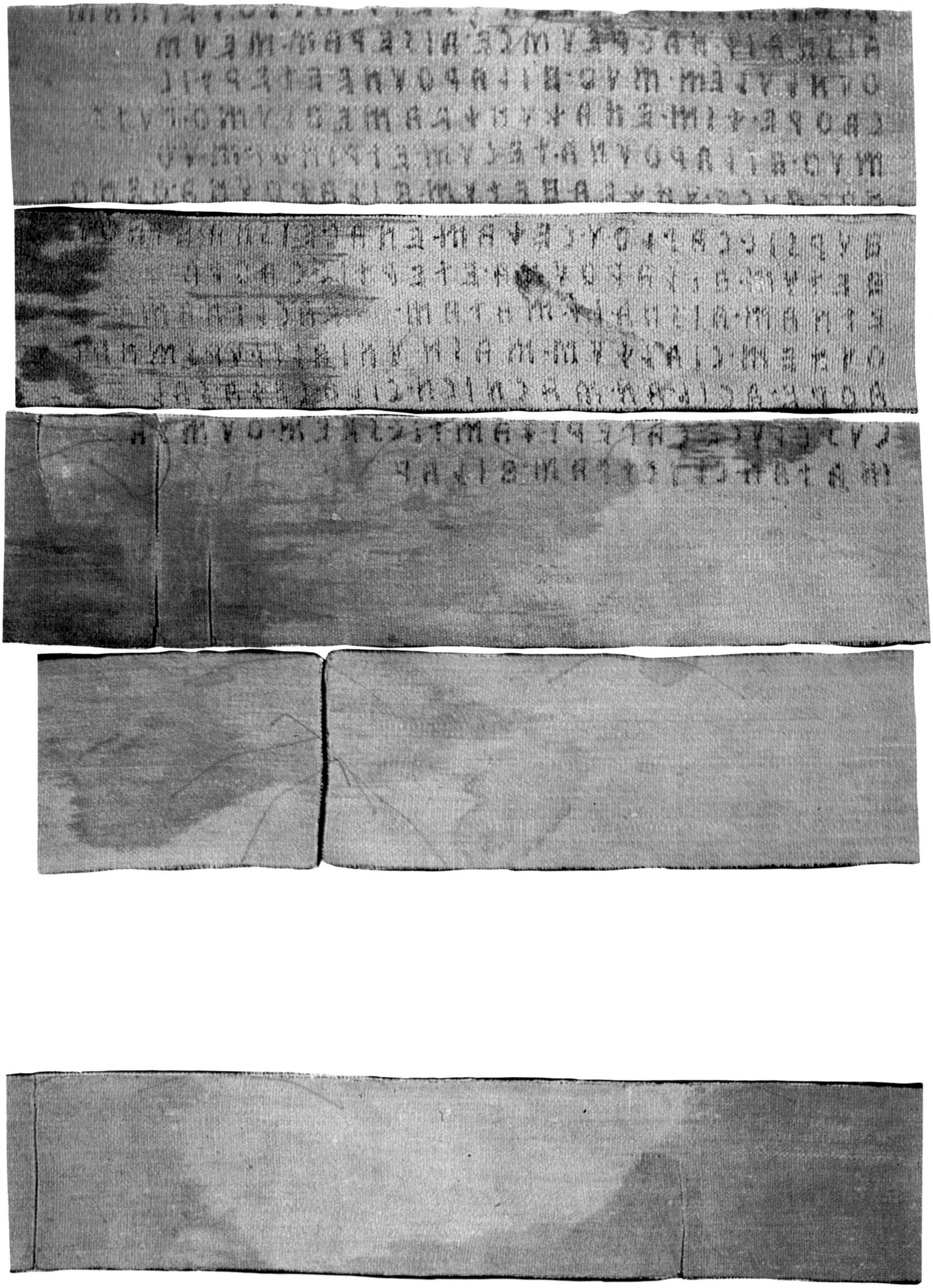

XII

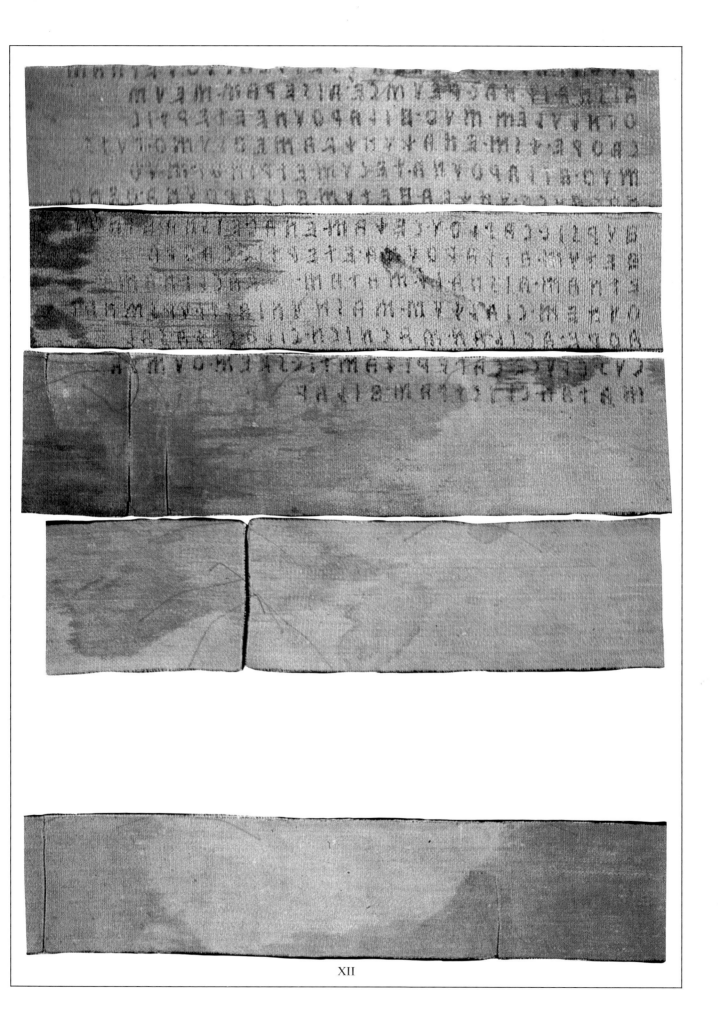

XI

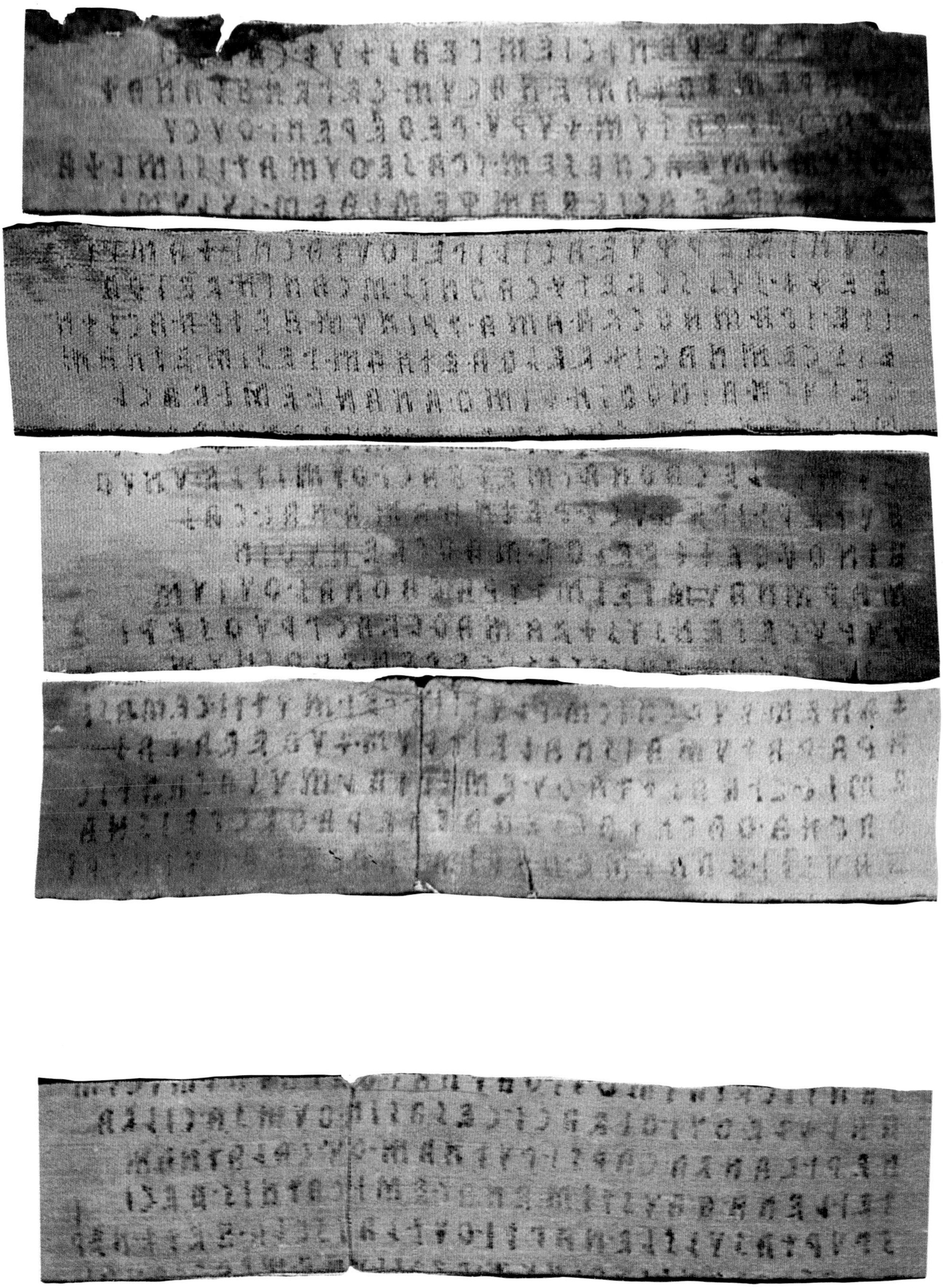

X

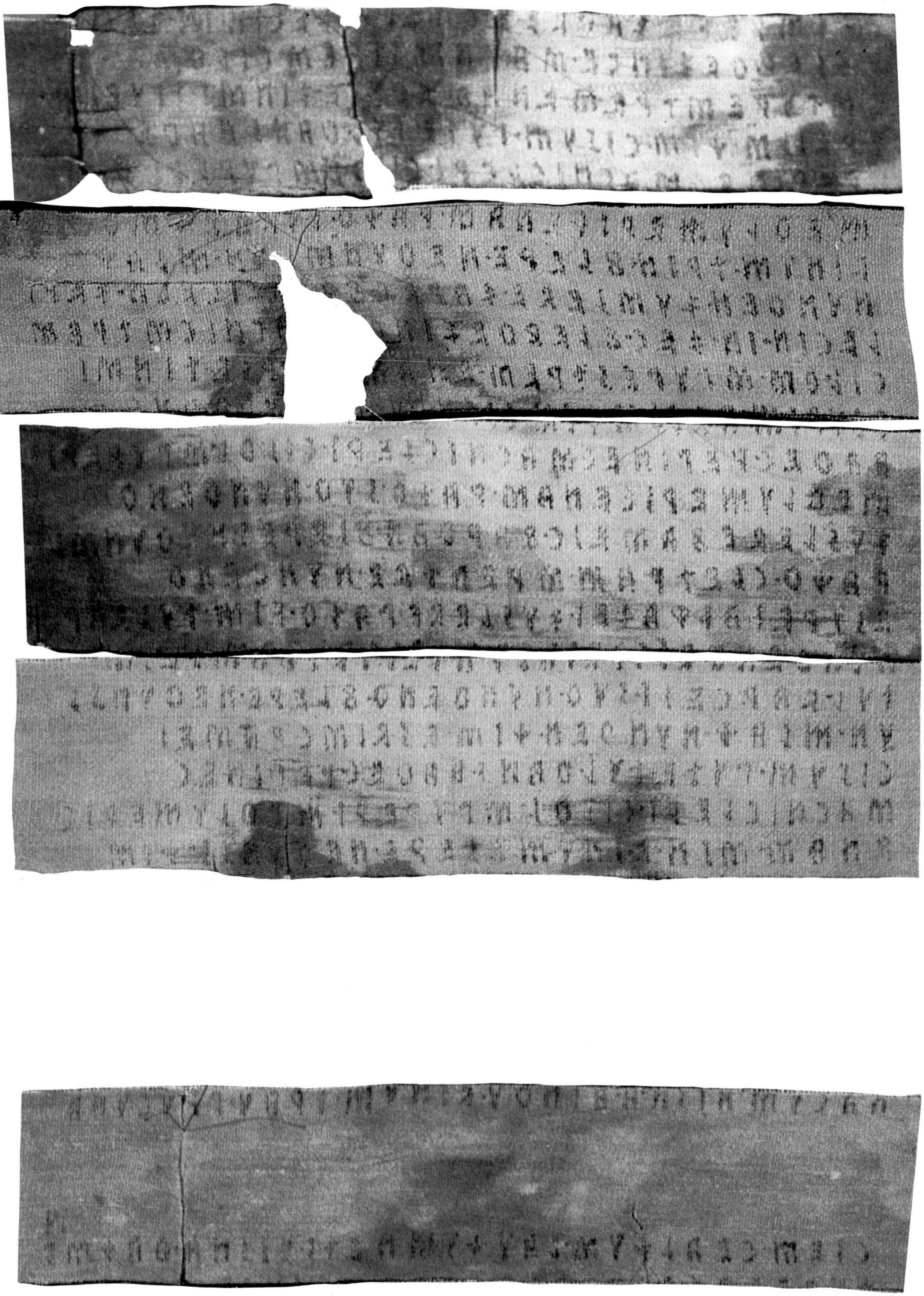

IX

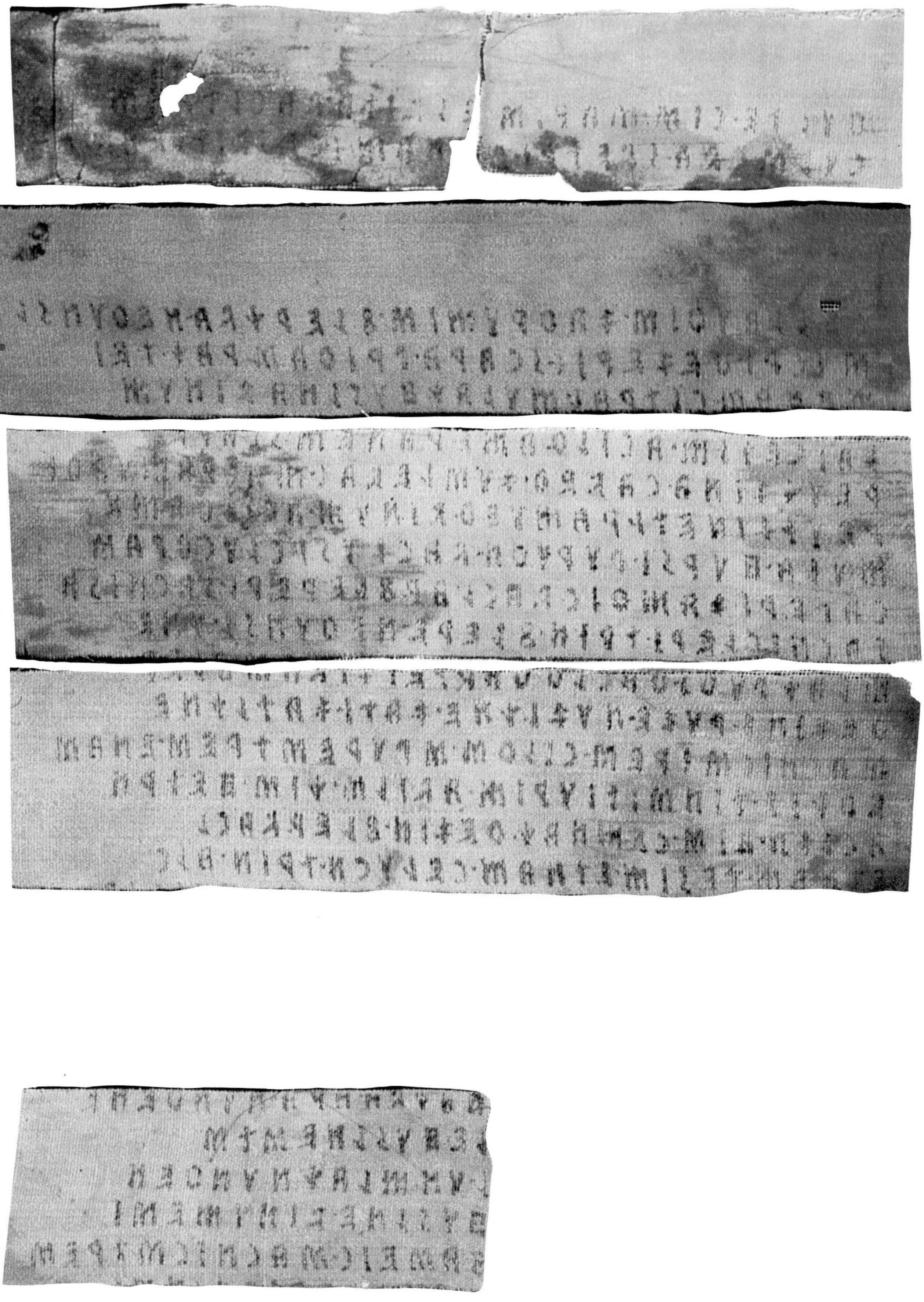

VIII

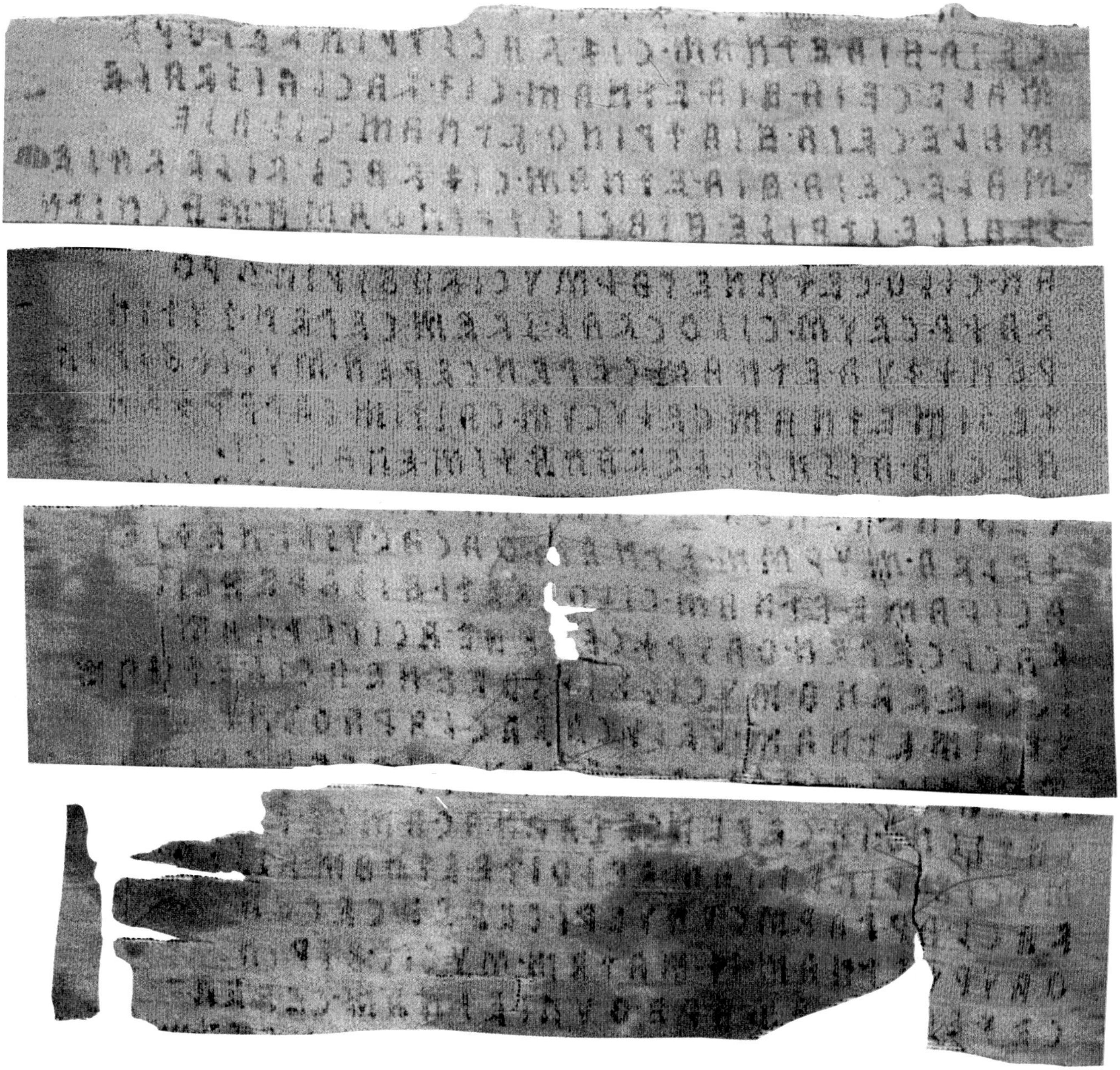

VII

VI

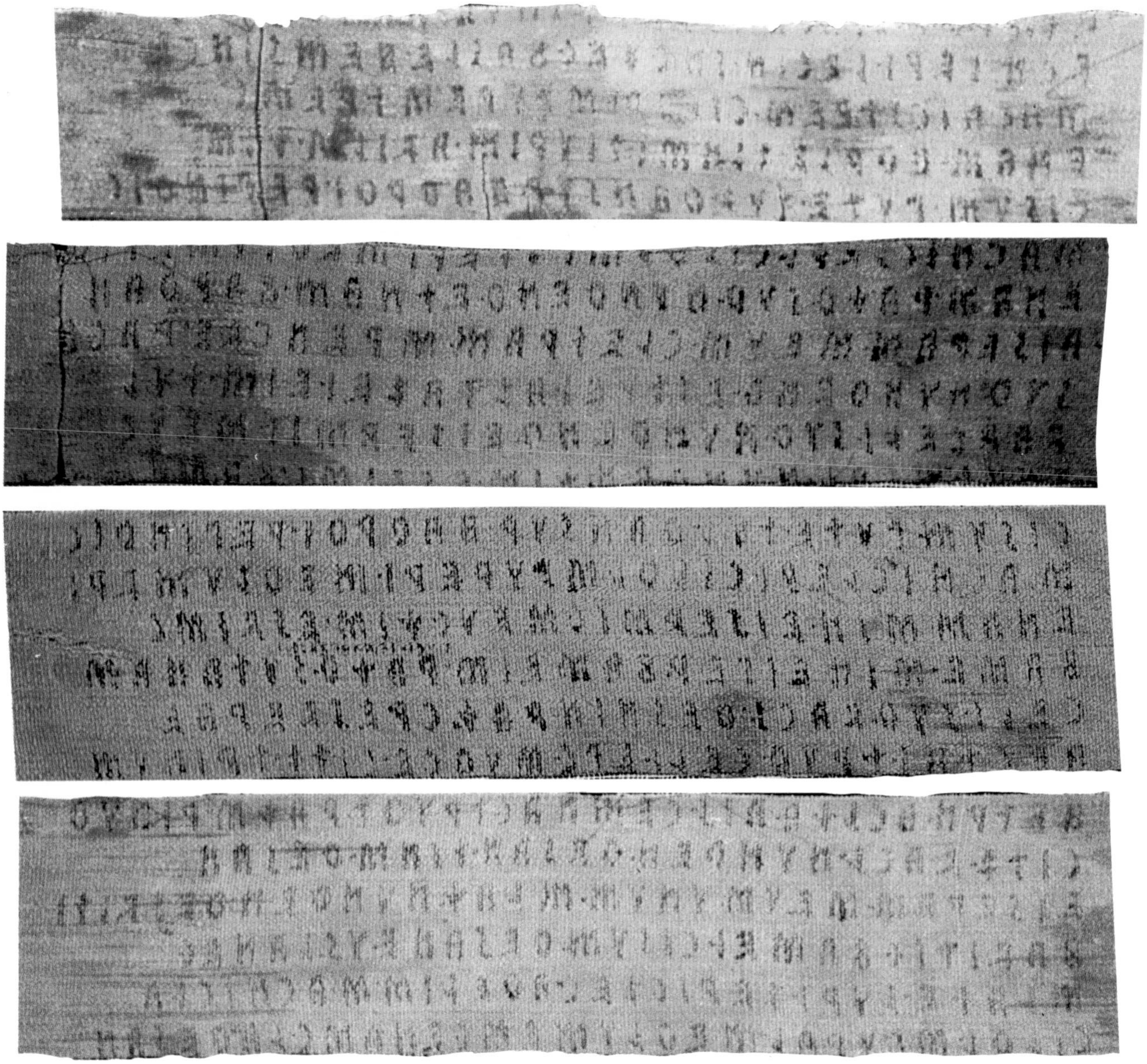

V

IV

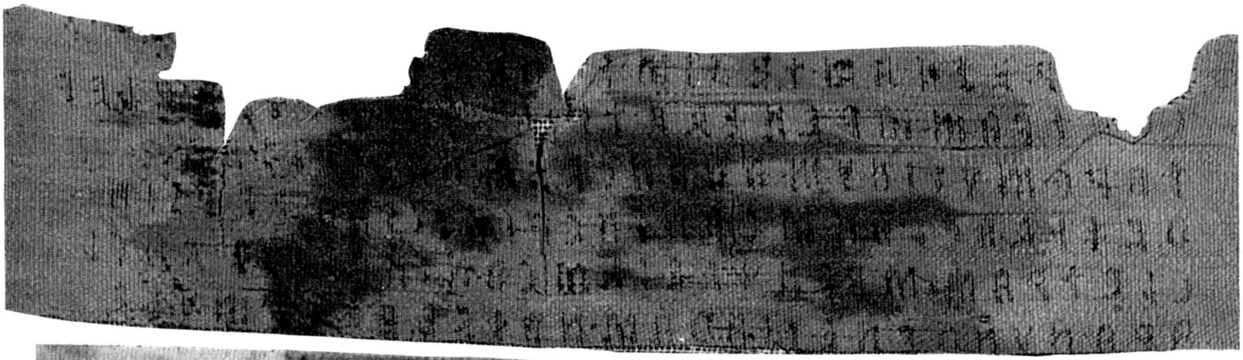

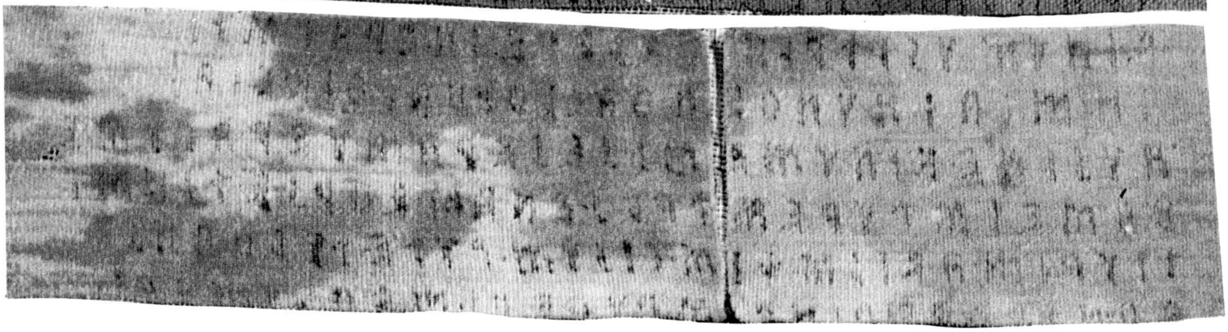

III

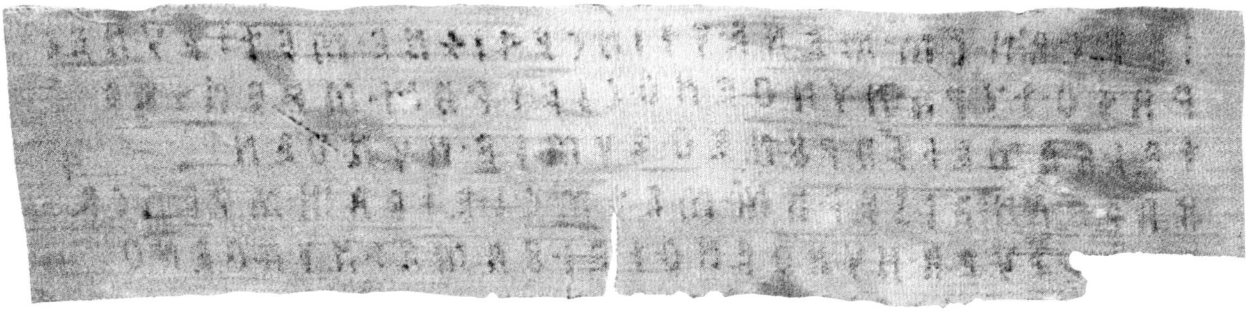

II

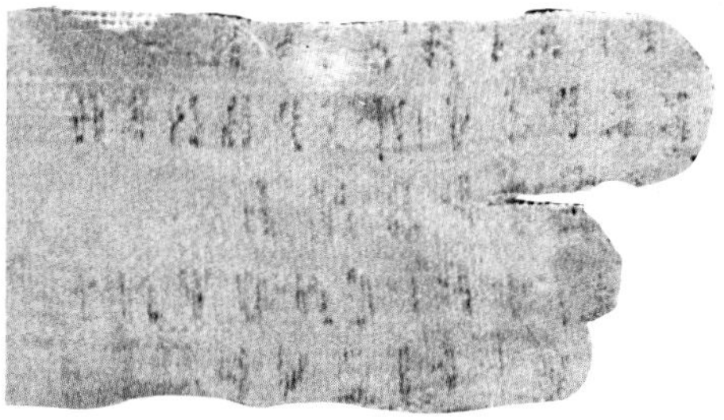

I

La Tegola di Capua

Nel volume X dei diari di Ludwig Pollack (p. 50) si legge la seguente notizia, brevissima:
"Nach langem Suchen Girolamo della Valle gefunden. Die altetrusk. Inschrift auf dem Ziegel. Einig geworden. Weiter nach Neapel..."
"Dopo lunga ricerca, trovato Girolamo della Valle. L'iscrizione etrusca antica sulla tegola. Raggiunta una intesa. Proseguo verso Napoli..."
Tutto lascia pensare che Girolamo della Valle fosse l'antiquario o il collezionista presso il quale il Pollak acquistò la tegola. Dalla schedatura dei suoi Diari risulta che egli concluse la trattativa il 24 giugno 1898 in Santa Maria di Capua Vetere. Null'altro, purtroppo, è dato sapere circa l'esatta provenienza dello straordinario documento.
Pochi mesi dopo (precisamente il 10 ed il 12 settembre 1898) il Pollak fece visita ai Musei di Berlino, ma il diario (vol. X, pp. 87, 88) non riferisce alcun dettaglio circa quelle ulteriori trattative.

M.G.

Le trattative dovettero essere comunque brevissime, se nello stesso 1898 la Tegola risulta inserita nell'inventario dei Musei di Berlino. È dunque chiaro che ogni certezza manifestata in seguito, circa la provenienza della Tegola dalla necropoli di Capua, è piuttosto il risultato di ipotesi pur verosimili fondate sull'esame del testo, che su informazioni obbiettive. Tale è, ad esempio, il caso di Francesco Ribezzo, che nel 1946 affermava che la Tegola fu ritrovata "nel 1899 nell'antica necropoli di Capua".
Subito studiata da F. Bücheler nel 1899, e da lui pubblicata l'anno dopo nel *Rheinisches Museum fur Philologie* (LV, 1900, 1 sgg.) condivise, negli anni intorno allo scorcio di questo secolo, le prime esuberanti fortune "linguistiche" del *liber linteus* di Zagabria.
Un passo notevole per la diffusione della conoscenza del cimelio avviene quasi subito, con l'esecuzione, da parte della Direzione Generale dei Musei di Berlino, di un calco in gesso nel 1902: fu donato ai Musei Vaticani (inv. 14146), e della lettera di ringraziamento indirizzata a R. Schöne da A. Galli il 28 ottobre 1902 è cofirmatario il primo Direttore Speciale del Museo Etrusco, Bartolomeo Nogara, forse non estraneo al successo dell'operazione.
Una replica dello stesso calco pervenne al Museo Archeologico di Firenze. L'idea di appoggiare con la diffusione di un calco la prima divulgazione del documento derivò dalla subito constatata impossibilità di realizzare un apografo o calco cartaceo dell'iscrizione.
Dopo l'edizione del Bücheler si ricorda quella di A. Torp del 1905, quella di Sittig e S.P. Cortsen del 1934, di M. Buffa del 1935, di M. Pallottino del 1947 e dei *Testimonia Linguae Etruscae*. Il Pallottino, sviluppando e applicando alla lettura del testo i criteri della cosiddetta interpunzione "sillabica", individuati nei fondamentali studi del Vetter, era pervenuto alla prima convincente – e definitiva – individuazione delle parole in un testo fin'allora reso oscuro appunto dall'uso, che vi è fatto, di un sistema interpuntivo di cui non sempre si era compreso il carattere non disgiuntivo delle parole.
Determinante nel passaggio dalla fase degli studi dei primi decenni del secolo a quelli introdotti dalle letture del Sittig e del Vetter (coautori di un fascicolo del *Corpus Inscriptionum Etruscarum* sulle iscrizioni della Campania, mai completato) fu l'esecuzione di una fotografia ad illuminazione radente e composita, in occasione del centenario dell'Istituto Archeologico Germanico, nel 1929.

La lastra: materia
e stato di conservazione.
Berlino, Staatliche Museen, Antikensammlung Inv. 30892.
Alt. mass. 62 cm;
superficie interna 58,5 cm.
Largh. mass. 48/49 cm;
superficie interna 41,5/42,5 cm.
Terracotta bruna, compatta.
Spezzata nella parte superiore, è circondata lungo i tre bordi conservati da un dente rilevato, di sezione variante da rettangolare a trapezoidale, cui deve la impropria definizione di "tegola". Una vasta zona nella parte centrale della faccia recante l'iscrizione è abrasa.
Lungo il ciglio esterno si conserva traccia di due solchi semicircolari (visibili all'altezza della decima riga di testo), realizzati a crudo attraverso lo spessore, i quali suggeriscono piuttosto un originario bloccaggio della

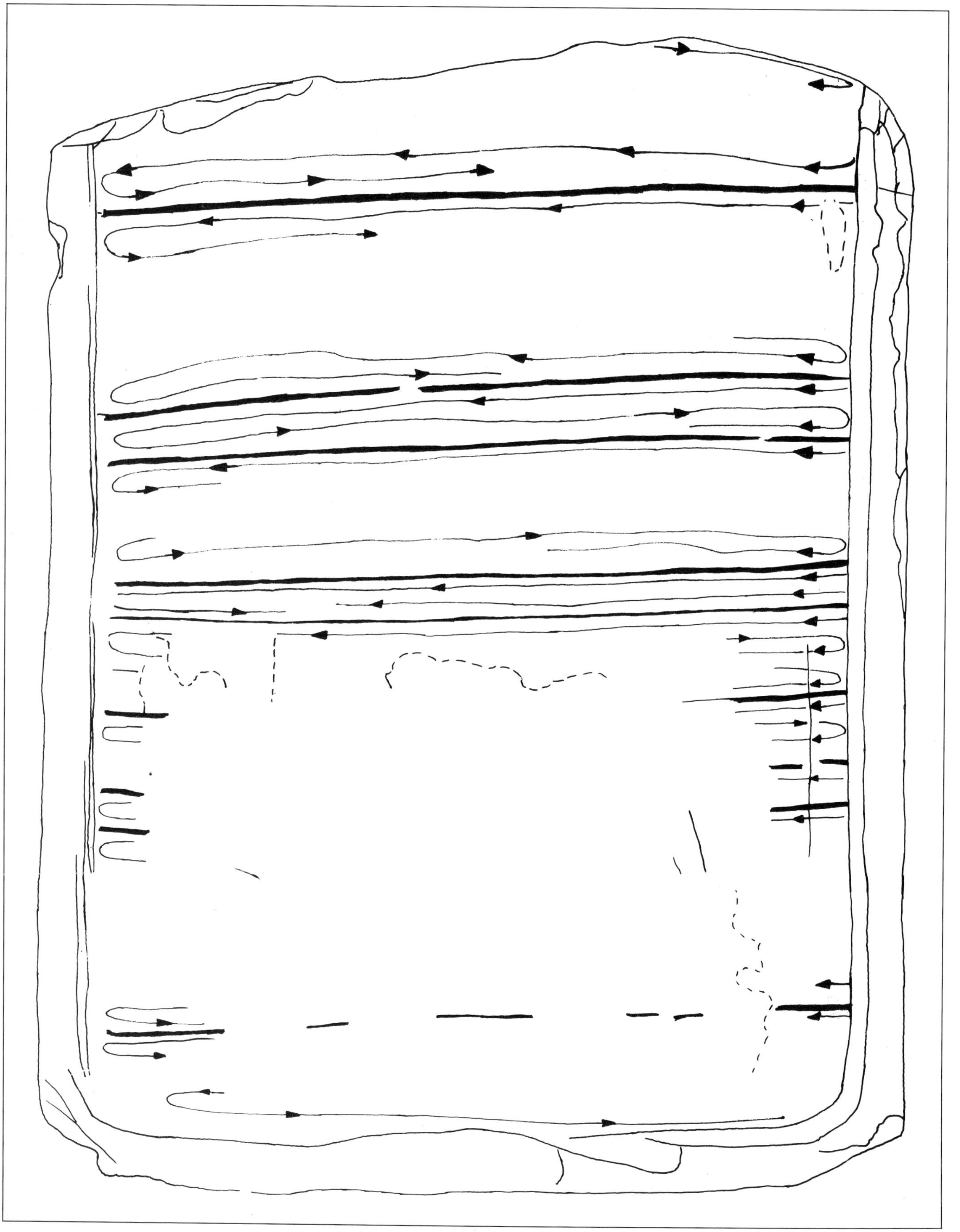

1 ---------------*v*acil · *il* uχuxxxxx

2 *a*i · saxcnes · satiriasaχi*ia*x-----------x

3 ---------χeriθuθc*u*vacil · sipir · surileθam · sul · citar · tiria

4 cim · cleva · acas · ri · hal · χ · tei · vacil · iceuśunisav ·
lasiexxxxxxxxxx

5 *u*x*u* · rizilepicas · risav · lasiei · s · vacil · lunaśiefacaiχ · nac · fuli

6 nuś · nes · vacil · sav · cnes · itnamulirizilepicas · *ś*iianevacil · l

7 eθam · sul · s · cuvunemar · zac · saca ⁝

8 i*ś*vei · tuleiluc · vea · pirasel · eθam · sul · ilucucuies · χuper ·
pricipen · apires ·

9 rac · vanies · huθ · zus · leriθ · nai · tul · tei · snuza*i*n · teh*a*mai ·
θicuvei · s : *ca*θnis · fx*n*

10 i*r*xmar · zain · tehamai · θiital · sac · riu · tus · e · cun · zai · itial ·
χuscuv · seriθ · nai · tu

11 l·tei·cizusiea·cun·siricimanun·θerie·θ·iśumazuslevai·a·
pirenun·θer

12 ia·v·θ·leθaium·vacil·*i*aleθam·sul·nun·θerivacil·iariθ·nai·
tae·θ·a·θ·ene

13 i·caper·pricelutulea·piraseu·nial·θi*turzae*·*s*·χaθ·ce·e·i·
iśun·nuial·θ·a·ra

14 e·p·nicei·nun·θ·*cuc*·iiei·tu*rz*ai·χiθxx*i*·*t*ae·i·tii*a*hal·χaper·
tuleaφes·ilucuvacil·zuχn

15 ee·l·fariθnai·tul·tr*a*i·*s*·*vanec*·*ca*lus·zus·le*v*aa·tu*l*xne·*in*·
*p*avinaiθ·acas·aφ

16 es·ci·tar·tiri·aci*tu*r·zar*iθ*·*n*ai·tul·a·sn*e*na*zi*ulas·
t*r*a*v*aiuser·*h*ivus·niθus·c·ri

17 θnai·tu·lahivus·travaius*er*·*s*nexx*ziu*x*as*·

18 iśvei·tule·iluc·*v*ea·n·xxxx*e*larun·s·ilucu·huχ·*śa*n·ti*h*urial·
χues·χaθ·sanul*is*·mulu

19 rizileziz·r*ui*n·p·*uiianacas*·*ritinia*n·tuleleθam·sul·il*u*cuper·
priśan·tiar·vus·

20 taa·ius·nun·θeri

21 acal·vea·per·tules·a·iu·zie·leθam·sul·il*u*cuper·priśan·
timav*i*lutule·iti

22 r·śvel*f*a*la*·*uhu*x*husili*tulevel*θurt*xxxx–·c·la*v*·*tun*·ic·*ni*seril·
tur·*za*es·χaθ·ce⁝p

23 /a/cus·na*ś*i*e*θanuraritu*r*·*zaes*·χaθxxx*is*·xl *av*tunic·śizus·
le*ś*iχaciiul·eses·sal·χe

24 i·calaieic·*leśsi*xxxs·ti*t*ai·zei·zal·*r*apa*zal*·x*a*xx*iiniac*·*lav*·
tu*n*·ic*nis*·*eril*·tur·zae·

25 s·χaθ·celaχuθ·nun·θerixea*c*xa·–*asrila*χθ·t*u*r·za*i*·*s*·e·s·χa–
xx*e*clxxu*acas*·eθ·zus·leva

26 *s*t*izic*·zei·aca·s·*r*ipa*cu*xxxx–śxxθ*u*xiaθiumi*aizusle*i·
ś*i*χaiei·t*artiriiai*·fa*nu*se·ipa*p*·θiai·ra

27 tuceχiniai·t*ei*·tur·zae·sχaθ·ce*e*·xxxls·

28 par*alś*i·ilucve·iś·vei·tuleti*n*unus·seθum·sa*l*·*c*·ilucuper·
pricipen·tar·tiriav*aciif*/

29 ulinuś · *n* – – – – *v* – – – –

30 e · tulanatinu*s* · nal · ilucu*i*tunafulinuśnai · θenu*n* · *te* · θu – – – – – –

31 mac · vilululepapui*a*xxxasei · lu*c* – – – – – – θa*s* · χ*r*atur · *zae* · s ·
χaxxxx – – ae*sr*apa

32 fu – – – – xx – – – – xumxur – – – – – *l*xxx*iie* – – – – *tiśe*r · s · ihefina*r*apa

33 ritapapaθi*u* – – – – – xurzaexxxxxx – – – – – – – *i*xx · *ce*

34 taxx – – – – – – – – *sa*θiχraχu*θt*ar ·

35 vuθ · cisasin*ezia* – – – – – – – – – – θ – – – –

36 zal · θirie*a* – – – – – – – – – – – – – xta

37 r · tixxx – – – – – – – – – – – – – ax*i* · s*ela*s · cerur /a/

38 zllux x*ni* – – – – – – – – – – – – – – xi

39 xx – – – – – – – – – – – – – – – – – – xx · as – – – – – – l ·

40 iśv*ei* · t*u*lx – – – – – – – – – – – *ha*x*a*

41 χ · h*a* · – – – – – – – – – – – – – – – – – – – xxxxia

42 aper · *tul*x – – – – – – – – – – – – – xxiśe

43 *rai*x – – – – – – – – – – – – – – – *ai*śx*e*

44 ś*tul*–*t*x – – – – – – – – – – – – – – – x*e*fani

45 ri*r*iia – – – – – – – – – – – x*pra*i

46 *p*xx*m* – – – – – – – – – – *l*xx

47 vacxx*z*x – – – – – – – – – – – – – – – xuri

48 *nei*xxx – – – – – – – – – – – – – – riθ*n*

49 am · t*ul*x – – – – – – – – – – – *sver* · *nun* /*θ* ·

50 x*t*xxxx*m* : – – – – – – – – – – – – xus · tule

51 e · s · χxx – – – – – – – – – – – – – *ia*χxxx*e*χ*i*

52 t*un*xx*u* – – – – – – – – – – i · vn*m*a

53 χ*v*i · xxχ*a* – – – – – – – – – – – – – *lat* · *r*

54 *e* · *s* · x – – – – – – – – – – – – – – – *etuesivezei* ·

55 c l i · s u t *h* x *u* i x – – – – – – – – – – – – – – – – – –

56 i s v e *i t u l* x – – – – – – – – – – e l · c u l · *s* · t e c · θ *a*

57 *m* · c u i t i x x *t i n* x – – – – – – – – – x x x *z a* – e · s

58 χ a θ · *c e* – – – – – – – – – – – – x u s · *a* x *a* s · c e *l u t u*

59 · a p e r · t u l̂ x x – – – – – – – – – – – – – – *s* x a l e

60 c e x x e x x *l c* x x – – – – – – – – – – – x *r i* t *a i* x x x *a c l* χ *a*

61 n i s · c l a v · t u n u i i *c* x x – – – – – – – – x x x z *a* x *s h* x x

62 – – – – x x x u *l* i s · z i χ u n c e

lastra disposta in piano che (dato il peso) una sua affissione verticale.

Proporzioni e struttura.
Circa il primitivo sviluppo in altezza della lastra, valga soltanto l'osservazione che in prossimità del margine superiore spezzato le righe del testo hanno un andamento incurvato, più o meno parallelo a quello della frattura stessa.
Ciò, unito al dato esterno dell'altissima frequenza di fratture che nelle tegole piane corrono lungo la base del dente sopraelevato, porta a ritenere che non molto della superficie originaria della lastra sia andato perduto, e che anche sul quarto lato essa fosse "chiusa" da un dente. Dal momento che (vedi oltre) ogni sezione del testo inizia con una riga che muove dal lato destro della lastra, potremmo considerarne mancante una sola riga.
La tipologia dell'oggetto è oscura: la sua stessa generica ovvietà (una superficie piana rinforzata da ogni lato mediante un ciglio rilevato, atta ad accogliere in modo facile, ma durevole, un testo liturgicamente funzionale che forse – come vedremo – aveva altrove la propria fonte e il proprio modello) unita alla modestia dell'esecuzione, scoraggiano tentativi di classificazione diretta dell'oggetto. Non escluderei che potesse giacere su di un'ara, o in prossimità immediata del luogo deputato ai riti che il testo prescrive, o che fungesse esso stesso da tavola per le offerte che vi si enumerano.
Si è proposto di riconoscere nella larghezza della "tegola" la misura di un cubito italico (pari a un piede e mezzo: 41,1 cm); anche se riferito alla superficie interna della lastra il dato non pare convincente: tuttavia va detto che, se vale la proposta avanzata poc'anzi circa l'originaria estensione della lastra di poco oltre l'attuale frattura, le dimensioni del piano inscritto corrispondono a due piedi attico-romani di altezza (59,2 cm) e, più approssimativamente, a uno e mezzo (44,4 cm) di larghezza.

Il testo: la redazione.
La superficie della lastra, preparata da un'accurata levigatura, è attraversata orizzontalmente da nove solchi incisi a stecca che la suddividono in dieci fasce trasversali. La loro esecuzione, ferma ma irregolare, risponde alle caratteristiche del testo stesso, vergato con sicurezza ma in modo piuttosto corsivo. Le linee divisorie vengono tracciate a mano a mano che la stesura del testo procede: lo dimostrano casi come quello del terzo settore, il cui limite inferiore è tracciato in modo da raccordare l'altezza della terza riga di destra con quella della seconda, sulla sinistra, anche se ciò comporta un andamento obliquo del solco.
La grafia è bustrofedica: di norma cioè si susseguono righe con caratteri diritti procedenti da destra verso sinistra e righe in cui essi procedono, capovolti, da sinistra verso destra. È chiaro tuttavia che questo andamento non esprime in alcun modo equivalenza o indifferenza fra l'una e l'altra direzione della scrittura, bensì rispetta l'esigenza di non spezzare con ritorni "a capo" la scritta, il cui orientamento prevalente è tuttavia sinistrorso. La prima riga di ciascun paragrafo è infatti sempre vergata da destra verso sinistra; anche l'ultima lo è (come nel terzo, quarto, quinto e sesto) o lo deve sembrare (come nel primo e nel secondo), quando l'ultima riga effettiva, destrorsa e capovolta, termina distante dall'allineamento di destra, cosicchè ne consegue un'apparente sequenza costante di righe sinistrorse in apertura e chiusura di paragrafo: illusione, questa, accentuata dal fatto che lo scriba, tirando la linea di delimitazione inferiore di ciascun paragrafo, tende a "risalire" sempre sul lato destro, accostando il tratto a ridosso della penultima riga: quella procedente da destra verso sinistra.
Solo con questa preoccupazione si spiega il singolare comportamento dello scriba nel brevissimo paragrafo centrale (il quinto: righe 28-30): qui infatti la prima riga piega normalmente, prolungandosi capovolta nella sottostante, che continua per un breve tratto (circa un terzo della sua lunghezza totale); qui s'interrompe bruscamente e il testo riprende, sempre all'interno dello stesso paragrafo, dal capo opposto, in grafia sinistrorsa, fino quasi a riattaccarsi al tratto destrorso. Se lo scriba non avesse operato così, la lunghezza stessa del testo avrebbe portato le lettere capovolte a raggiungere l'allineamento di destra, in chiusura di paragrafo: ciò che appunto, con ogni evidenza, egli voleva evitare.
Sembra pertanto di poter dire – e la constatazione non pare di scarso rilievo – che il bustrofedismo che il testo di Capua esibisce sia, per così dire, di maniera; adottato cioè come stile nella stesura senza spezzature di ciascun periodo, ma già superato come costume nell'impianto dell'intera pagina: e la seconda riga del quinto paragrafo dimostra che, dove le due esigenze avessero rischiato di venire in conflitto, la seconda avrebbe prevalso sulla prima.
Merita d'essere rilevato a questo punto il fatto che, pur essendo lo spazio disponibile complessivamente sufficiente e pur consentendo la grafia bustrofedica allo scriba di terminare ogni riga e avviare la successiva senza preoccuparsi di dove la "piegatura" venisse a cadere, in alcuni punti, soprattutto al centro della tavola, dove essa si restringe di circa un centimetro, alcune lettere sconfinano al di fuori della superficie piana e vengono incise sul dente marginale. È lecito vedere in ciò traccia della dipendenza dello scriba da un modello in cui il testo fosse già distribuito in forma fissa e codificata? In tal caso si potrebbe pensare che egli abbia desunto il testo da una *tabula* bronzea o, data la sua lunghezza, da un *liber linteus*.
Coerente con l'uso della scrittura bustrofedica, che sacrifica la leggibilità del testo alla ritualità della redazione, sembra, nella "tegola", l'uso dell'interpunzione. Si tratta di un'interpunzione detta "sillabica". I punti che si vedono sparsi nel testo non ne distinguono le parole l'una dall'altra, bensì ne analizzano le sillabe, contrassegnando le lettere che non fanno parte di una sillaba aperta (come *va, ci, mu, ri*, ecc.): così ad esempio nella sequenza della riga 5-6: *fulinuś.nes.vacil.savc.nes.it.namulurizile...*, il punto non contrassegna alcuna delle sillabe *fu, li, nu, ne, va*, ecc. bensì il *ś*, il *s*, il *l*, ecc. cui non seguono vocali. È chiaro che, dove una vocale segua una consonante ma ne sia separata da un punto, ciò costituisce per noi un segnale – non intenzionale, ma mediato – della fine di una parola; così pure siamo in grado di arguire la presenza di una divisione tra parole là dove vocali interpunte siano precedute da altre vocali. Altrettanto evidente è che in alcuni casi (sequenze di sillabe aperte, e come tali non interpunte) la divisione delle

parole per noi permane incerta, e può solo ipotizzarsi in base a una loro conoscenza fondata su altri contesti. È così che si è pervenuti – ad opera soprattutto del Pallottino – a isolare e riconoscere le parole che compongono il testo. Non è qui il caso di addentrarci nella spiegazione di un fenomeno di cui è stata chiarita piuttosto la meccanica che la natura: vi è chi vi ha visto quasi un relitto di un sistema di scrittura diversa, e precedente quella alfabetica: un sistema "sillabico", appunto, in cui cioè l'entità minima graficamente realizzata fosse la sillaba (consonante più vocale) e non il singolo fonema (vocale o consonante). Una simile ipotesi, anche a prescindere da altre considerazioni, contrasta con la comparsa relativamente tardiva del fenomeno, almeno nelle sue manifestazioni più sistematiche e coerenti. Queste si registrano in ambienti colti, dove si esercitava quello che è stato chiamato "il monopolio della scrittura": gli ambienti sacerdotali gravitanti attorno ai grandi santuari. Fra questi un significativo numero di iscrizioni segnala quello celebre "del Portonaccio" a Veio, sul finire del VI sec. a.C. ed è proprio da questo ambiente che si ritiene l'insegnamento abbia raggiunto il versante interno del mondo etrusco-campano, dove ha conosciuto una diffusione particolare (Nola, Suessula, ecc.).

La datazione della "tegola", nella totale assenza di indicazioni desumibili da un contesto archeologico, poggia soltanto sulle sue caratteristiche grafiche, temperate da considerazioni storiche d'ordine generale. L'alfabeto rientra infatti in un tipo medio, ben collocabile entro il V sec. a.C.: ma le notizie storiche che ci parlano del declino della presenza etrusca in Campania proprio fra la fine del VI e il primo quarto del V sec. a.C., e del 474 a.C. come della data della più severa *debacle* etrusca, subíta nelle acque di Cuma, inducono a contenere entro i primi decenni del V sec. a.C. la data di esecuzione del documento capuano.

Il testo: il contenuto.

Risolto sostanzialmente, se non esaurito, il problema della esatta separazione delle parole, il testo della Tegola di Capua si è rivelato composto di una serie di frasi che si susseguono disposte "in parallelo" all'interno dei dieci capitoletti. La loro struttura è denunciata dal ritorno martellante delle medesime parole, disposte in sequenze entro le quali è relativamente trasparente l'intreccio fra termini ricorrenti e varianti; ciò ha consentito l'applicazione di un metodo combinatorio "interno" grazie al quale si è giunti, in una prima fase, a definire una "griglia" di schemi sintattici. All'interno di questa griglia, il riconoscimento di parole note da contesti esterni alla "Tegola" ha consentito a sua volta di definire con relativa sicurezza l'ambito funzionale di tutti i termini che ritornano in posizione simile a quella del termine noto.

Esemplificheremo quanto detto ricorrendo ai casi più tipici:

riga 8: *leθamsul ilucu cuiesχu perpri cipen*
riga 18: *laruns ilucu huχ śanti*
riga 19: *leθamsul ilucu perpri śanti*
riga 21: *leθamsul ilucu perpri śanti*
riga 28: *tinunus seθumsalic ilucu perpri cipen*
riga 30: *natinusnal ilucu*

e ancora:

riga 3: *leθamsul ci tartiria cim cleva*
riga 15/16: *aφes ci tartiria ci turza*

Nella prima serie di frasi, se in *leθamsul* si ha un noto nome di divinità (che compare anche sul "fegato" di Piacenza) è lecito assegnare alla medesima categoria anche le voci *laruns, tinunus, natinusnal;* se in *cipen* si riconosce un "appellativo" indicante una carica sacerdotale, anche *śanti* ha forte probabilità di esserlo. Nella seconda serie di esempi, un altro nome di divinità dovrebb'essere *aφes,* mentre la presenza del numerale *ci* = tre, ripetuto prima di *tartiria,* di *cleva,* di *turza* (come quello del numerale *huθ* = sei davanti a *zusle* alla riga 9) ci rende certi che si tratti dell'indicazione del numero di offerte da presentarsi. Il carattere prescrittivo di queste formule è confermato dalla presenza, alla fine della sequenza, di voci verbali del tipo (di cui si è detto a proposito del *liber linteus*) *acasri, picasri, sacri, nunθeri,* cui si è riconosciuto un valore "necessitativo" paragonabile a quello del gerundivo latino.

Si è così pervenuti al chiarimento del seguente schema di base, nelle indicazioni fornite nel testo della "Tegola":

a) nome della divinità in caso obliquo ("dativo" o "genitivo" di dedicazione);
b) quantità e specie delle offerte o, in frequente alternativa, nome dell'esecutore o "officiante");
c) verbo indicante l'azione da compiersi;

A questo schema largamente prevalente si aggiunge la individuazione di brevi formulette introduttive di ogni sezione (ad es. *iśvei tule ilucve apirase,* nella seconda e terza sezione), nelle quali le stesse forme verbali, che ricompariranno nel testo successivo in forma prescrittiva o descrittiva, figurano "accumulate" come ad anticipare la sostanza del rito di cui si tratterà.

Varianti notevoli, nella materia così definita del testo capuano, sono costituite da due "episodi": la menzione – importantissima – di una famiglia *Icni* (ritorna nella sezione IV, righe 22, 23, 24, e nella X, riga 61) che avrebbe compiuto determinate offerte, e la citazione finale di un personaggio, il cui nome è andato perduto, redattore del testo: ..."*ziχunce*" = "scrisse" (o "fece scrivere").

Dall'insieme dell'esame testuale – di cui si è voluto descrivere piuttosto il procedimento che i risultati – si ricava la conferma che la "Tegola" contiene un rituale funerario, con menzioni di operazioni cultuali (offerte, libazioni, sacrifici?) dedicate a divinità indiscutibilmente di natura infera (come *leθam, calu* ecc.).

La possibilità che queste pratiche si inserissero in un culto familiare della *gens Ignia* (righe 22 e 23: *lautun icni*...), la cui presenza è documentata nella vicina regione irpina, non toglie verosimiglianza all'ipotesi che il testo sia modellato sulla base di un rituale ufficiale e diffuso; si è proposto di collocare tale rituale entro il quadro dei *libri Acherontici,* che costituivano parte della letteratura religiosa etrusca celebrata dalle fonti classiche.

Ciò concorderebbe con gli indizi, che ci è parso di individuare, della dipendenza del testo da una fonte situata altrove e consegnata ad altro "mezzo".

Non vi è dubbio tuttavia che la menzione nel testo, di una particolare famiglia, è a sua volta coerente con il sapore di immediatezza funzionale che si è tentati di cogliere nella struttura e modestia dell'oggetto, al quale è stata affidata una versione, forse selettiva, del codice originario.

366

Il Cippo di Perugia

Il rinvenimento e l'acquisto.
"Altro che tordi, che polenta e fringuelli, questa è la più bella caccia che nell'ottobre del 1822 siasi fatta in Europa..." (BAP 2285, I, 6v): con queste parole riferite al Cippo, G.B. Vermiglioli si rivolge a Vincenzo Cherubini in una lettera datata "S. Valentino 28 8bre 1822".
La scoperta suscitò grande interesse nell'ambiente culturale dell'epoca, ma in nessuna pubblicazione coeva vennero precisati il nome dello scopritore materiale e il luogo del ritrovamento. Lo stesso Vermiglioli, che al tempo del rinvenimento era Direttore del Gabinetto Archeologico e che tanta parte ebbe nelle trattative per l'acquisto dell'oggetto, fornisce scarse indicazioni: "...fortunatamente scoperta nell'ottobre del 1822 nelle vicinanze di Perugia dalla parte settentrionale". (VER. 1824, 1); "...praeclarum Etruscorum Monumentum mense octobris CIƆIƆCCCXXII repertum prope Perusiam..." (VER.); "Fu discoperta l'anno 1822 nelle vicinanze di Perugia..." (VER. 1830, 5); "Scopertosi appena questo singolarissimo e prezioso Monumento della antica e toscanica paleografia, nelle vicinanze di Perugia, e nel 1822..." (VER. 1833, 85). Solamente in una descrizione del Cippo con relativa traduzione, attribuita da G. Conestabile a David Castagna (CON. 1870, 4), si trovano indicazioni più precise: "Questo travertino adunque discoperto nelle vicinanze di Perugia l'anno 1822 presso al fontanile che è il capo d'acqua del fiume Genna" (ASPi GAL). Neppure qui viene però menzionato il nome dello scopritore. Presso l'Archivio di Stato di Perugia si conservano i documenti riguardanti un'istanza fatta da V. Cherubini per ottenere un premio in denaro, dovutogli, secondo l'editto Pacca del 7 aprile 1820, come fortuito scopritore della lapide; istanza che non ebbe esito, come testimonia la lettera del Camerlengo al Delegato Apostolico di Perugia, datata 21 giugno 1828 (ASP 1828, 36313).
La lettera del 3 giugno 1828, del Delegato al Camerlengo, fornisce elementi più precisi sulle circostanze della scoperta (ASP 1828, 3003): "Sussiste che Vincenzo Cherubini di questa città fin dall'ottobre 1822 andando a caccia trovò casualmente alle radici di Monte Malbo una gran Lapide etrusca che per le piogge che erano di recente cadute erasi discoperta".
Contro questa fonte "ufficiale" va la testimonianza, raccolta da Mariano Guardabassi, di Cipriano Castelletti che, nel 1878, ricordava come il padre Antonio avesse ordinato ad un certo Faina, suo contadino, di allargare un suo podere in vocabolo Verde, presso Monte Malbe, e come, dopo un periodo di piogge, una frana facesse sì che"... il Faina vide sporgere porzione della pietra scritta ed altre cose" (GUA.).
La paternità della scoperta si può con maggior probabilità attribuire a V. Cherubini (DEF. 1969, 318, 321), perché: 1) Cipriano Castelletti ricorda eventi accaduti cinquantasei anni prima, quando aveva solo quattro anni, e sembra confondere gli avvenimenti del '22 con altri scavi tenuti nel '34, mentre le notizie del Cherubini sono più o meno contemporanee agli avvenimenti stessi; 2) Cherubini non aveva alcuna ragione di fare un'istanza che poteva essere facilmente smentita, visto che le circostanze della scoperta dovevano essere ben note a Perugia; 3) non solo Cherubini usa più volte, nei suoi appunti, l'espressione "da me trovata", ma, in margine al ringraziamento che Vermiglioli porge ad Ugo Spinola, Delegato Apostolico di Perugia, per aver acquistato e donato la lapide al Pubblico Museo, annota nel *Saggio di Congetture...* più volte citato: "Perugia debitrice di gratitudine a Spinola, ed a Cherubini nulla si dice" (BAP 2285, IX, 3): nessuno all'infuori di Cherubini stesso poteva leggere queste parole, quasi uno sfogo, essendo il testo una copia personale, donatagli dall'autore; 4) circa cinque anni dopo che il Camerlengo aveva respinto la sua istanza, Cherubini fece domanda al Comune di Perugia per ottenere in dono una copia delle *Iscrizioni Perugine* del Vermiglioli in qualità di scopritore del Cippo (BAP 2285, III, 1r): segno che a Perugia dovevano essere ben certi dei suoi meriti.
Non a caso le maggiori informazioni sul luogo della scoperta le fornisce Cherubini stesso, in numerosi luoghi dei suoi appunti: "Vincenzio Cherubini di Perugia con tutto il rispetto Le rappresenta come nell'ottobre del 1822 fu esso il felice *Inventore* che rinvenne alle pendici di Monte Malbo nella Parrocchia di S. Marco Subborgo

di Porta S. Angelo di detta città la *Gran Lapide Etrusca*". (BAP 2285, III, 3r, 4r); "...scoperta dalle acque alle pendici di Monte Malbo verso S. Marco..." (BAP 2285, V, 2r); "...nei primi giorni di ottobre del 1822: avendo trovato in un fosso presso Monte Malbo una pietra con iscrizione scavata dalle straordinarie piogge cadute in detti giorni..." (BAP 2285, I, 8r); "...nel fosso ove esiste un fontanile, che è il capo d'acqua del torrente Genna alle radici, o pendici di Monte Malbe". (BAP 2285, IX, 1); questo fontanile è quello "più prossimo a Monte Malbe, anzi è un colle di Monte Malbe ora coltivato" (in seguito ai lavori voluti da A. Castelletti ed eseguiti dal Faina, già menzionati?) "...È dunque rimarcabile che la Lapide stesse presso un fontanile.
Dal Colle di S. Marco hanno origine quattro fonti:
1 Canetola: la Lapide;
2 Canetola: orto oggi di Meniconi;
3 Fonte murato nella valle che viene dalla cava sotto l'orto di Meniconi;
4 Fonte nel podere Frati Sant'Agostino;
5 Altra fonte a Cenerente" (BAP 2285, IV, 5r).
"La Lapide fu trovata nel terreno N. 96 del catasto Vocabolo Canetola spettante a *** Giovi, poi Massini, poi Castelletti nel 1822 in cui fu rinvenuta da me V(incenzo) Ch(erubini)" (BAP 2285, IV, 6v). A quest'ultima indicazione si può affiancare l'ubicazione del luogo ricordata da Guardabassi nella memoria già citata (GUA): "Uscendo dalla città per la porta del Monte si scende a S. Marco, di lì dirigendosi verso Monte Malbe a 2 km. prima di giungere al torrente Genga (per Genna) trovasi il podere Castelletti, vocabolo Verde, quasi a metà diviso da un piccolo torrentello che serpeggiando sgorga sulla Genga. Il predio Castelletti da questo lato confina con quello Meniconi e con l'altro delle Brunetti; la distanza totale da Perugia è di circa km. 5 verso Nord-Nord-Ovest".
Queste ultime due fonti, più precise delle altre, hanno permesso a Pol Defosse di localizzare il punto da cui proviene la lapide (DEF. 1969, 313-326; 1973, 354-sgg.). Infatti nell'Archivio di Stato di Perugia esiste la mappa del Catasto Antico (1729) per la zona di S. Marco (ASP, Catasto Antico, Mappa n. 82, S. Marco); in essa, al n. 96, corrisponde un sodo incolto appartenente a "Bartolomeo detto Bartocio della Pievecia", circondato da tre lati (il quarto confinava con la strada) dai terreni del Canonico Francesco Giovio, registrati con il n. 97. Come si è visto, Cherubini indica per i terreni di Giovio il numero di particella catastale 96, mentre nella mappa sono indicati con il numero 97. Questo errore si può spiegare o pensando ad una confusione fra i due numeri (si può forse ipotizzare che Cherubini abbia confuso l'annotazione delle tavole da pagare, 96 per l'appunto, con la particella catastale; va comunque detto che i colori per i due numeri sono diversi) o, come ha proposto Defosse (DEF. 1973, 357), Giovio ha acquistato la particella 96, che in seguito non appartenne mai a Castelletti, quando la stesura del Catasto era già stata terminata. Tra i terreni che nel Catasto Gregoriano, circa cento anni dopo, sono indicati come appartenenti ad Antonio Castelletti, ne va quindi cercato uno avente le seguenti caratteristiche: essere appartenuto a Giovio, confinare con quelli Brunetti e Meniconi, avere una fonte da cui sgorga un torrentello che lo divide e sfocia nella Genna, essere alle radici di Monte Malbe, non essere molto distante dalla casa (perché Castelletti ordina a Faina di allargare l'orto del podere) e avere un dislivello tale che, in seguito alle piogge, potesse crearsi una frana. Secondo Defosse, solamente le particelle n. 862 e 858 del Catasto Gregoriano (DEF. 1973, 357), risponderebbero a tutte le condizioni sopra indicate. (ASP, Catasto Gregoriano, S. Andrea e S. Lucia). Tuttavia anche la particella n. 860, tralasciata da Defosse, ha i suddetti requisiti e, per di più, si trova a ridosso del torrente, che ne segna uno dei limiti. Nel Brogliardo del Catasto Gregoriano essa è inoltre indicata come "selva di querce fruttifere": indicazione depennata e successivamente sostituita da "bosco da frutto" (ASP, Brogliardo del Catasto Gregoriano, S. Andrea e S. Lucia): modificazione che potrebbe essere dovuta appunto all'intervento del Faina.
Cherubini, fatta la scoperta, ne informò Vermiglioli; quest'ultimo, in una serie di lettere, si preoccupò di far giungere la pietra al Pubblico Museo, dato il suo alto valore, e cercò di sollecitare la cosa, interessando anche Mons. Spinola, perché facesse pressione presso il Castelletti, proprietario del fondo. Vermiglioli aveva infatti avuto notizia di una società di "cavatori" che voleva comperarla. Lamentandosi per l'esiguità dei fondi del Museo e per la sua "scarsa borsa", propose di fare una colletta tra i professori dell'Università, dei quali ognuno avrebbe dovuto dare un paio di scudi o uno scudo e cinquanta, e si impegnò a dare il doppio degli altri, così da arrivare alla somma di circa cinquanta scudi, poiché "io penso che comprendendovi le spese potrebbero sicuramente bastare perché quella pietra al più potrebbesi pagare zecchini 15..." e "...che nel luogo ove si collocherebbe il marmo si apporrebbe un'iscrizione in lode ed onore de' Professori, e della loro generosità" (BAP 2285, I, 2r-5v).
In una lettera del giorno successivo (28 ottobre 1822) al Cherubini, ringraziandolo di averlo avvisato del ritrovamento, aggiunse: "Non dubito che il suo impegno si estenderà ad ogni cura per il trasporto e ad ogni diligenza perché non soffra e non si rompa negli spigoli". (BAP 2285, I, 6r). E così annotò V. Cherubini sotto un fac-simile della lapide: "Rinvenuta da me Vincenzio Cherubini nei primi di ottobre 1822 ed estratta dal terreno che la copriva il dì 30 ottobre detto, rimanendo in un fosso alla profondità di piedi 14 perugini sotto il piano di campagna (un piede perugino era equivalente a cm. 36,57, perciò la pietra giaceva a circa m. 5,12 di profondità). La rinvenni in un fosso presso una fonte capo d'acqua del fiumicello Genna che trovasi nella gola di Monte Malbo, e Monte Pacciano, distante un miglio circa da Perugia, praticando per la Conca la via di Monte Morcino Vecchio e S. Lucia Subborgo" (BAP 2285, VIIIa, 2r). Il fatto che la pietra giacesse così in profondità, dovette rendere piuttosto difficoltose le operazioni di recupero e rese necessaria la costruzione di impalcature e la presenza di numerose persone, come si deduce dal conto delle spese per lo scavo e trasporto dell'iscrizione, datato però martedì 29 ottobre 1822 (BAP 2285, V, 2r).
Vermiglioli e Colizzi (Ispettore dell'Università di Perugia) dovettero convincere Spinola ad acquistare la lapide, come testimoniano le due lettere del

28 ottobre e 21 dicembre 1822 (ASP 1822, 5758, 6902). L'una parla dell'intenzione di collocarla nel Pubblico Museo, l'altra ne parla come cosa già avvenuta.
Buonamici, sulla base di queste lettere, ha erroneamente localizzato il luogo della scoperta presso Pian Castagnaio o Pian Castagneto, tra S. Marco e Ponte d'Oddi, dove Castelletti aveva altri possedimenti (BUON. 467-470).
Alle operazioni di recupero e trasporto a Monte Morcino Vecchio (sede del Museo dell'Università) dovette pensare Cherubini, che ebbe una spesa complessiva di 4,39 scudi (BAP 2285, V, 2r).
Castelletti invece, secondo quanto il figlio raccontò a Guardabassi cinquantasei anni dopo, non vide la pietra "perché ancora malato" e questa "fu acquistata dal Vermiglioli alla cui discrezione si rimise per il prezzo di scudi 8", pagati da Monsignor Spinola, "compreso il trasporto. Guarito il Castelletti e veduto il monumento chiese un compenso migliore; gli fu promesso, ma non l'ebbe mai!" (GUA).
Se come "inventore" della lapide Cherubini doveva ricevere la metà del ritrovato, secondo l'art. 50 dell'editto Pacca, non fu certo il motivo economico che lo spinse a muovere istanza al Camerlengato, per ottenere un premio, in questo caso di soli quattro scudi, con cui non avrebbe neppure coperto le spese. Ma forse la somma pagata per il Cippo non era stata quella indicata da Cipriano Castelletti; oppure nei sei anni intercorsi tra il ritrovamento e l'istanza Cherubini, si era capito l'alto valore dell'iscrizione. Egli stesso dice infatti: "...ma col Cherubini *Inventore* nulla si convenne, ne si è fin qui convenuto, avendo il medesimo atteso che colle *illustrazioni* dei Intendenti si conoscesse prima la preziosità dell'oggetto, onde fissarne il prezzo conveniente che può competerle" (BAP 2285, III, 3r, 4r-v).
Accanto al Cippo vennero trovati anche due "termini" di travertino: "...gli scavatori dopo parecchio lavoro scoprirono a piè della frana lungo il fossetto, che la pietra scritta avea a lato due termini. Tutto trovossi perfettamente a luogo, solo la pietra scritta era inclinata per effetto della frana". (GUA).
Cherubini nomina questi due termini, nel 1822, solo per le spese del loro trasporto; in seguito (1834) ne ricorda un terzo, usato dai contadini della zona come "lizza" del focolare, in nota a un appunto riguardante gli scavi Speroni, effettuati nel 1834 nei terreni di Castelletti (BAP 2285, III, 1v). Di questi scavi non furono mai inviate al Camerlengato (ASP 1833) relazioni sui rinvenimenti, che si conoscono invece dalla più volte citata memoria di Cipriano Castelletti (che attribuisce però tali ritrovamenti allo scavo del 1822) e da una relazione di Cherubini (BAP 2285, III, 1v). Entrambe le relazioni parlano di un vaso di terracotta, creduto il puteale di un pozzo: però mentre l'una ricorda anche un coperchio dello stesso materiale rotto in più punti, con due anse, l'altra esclude un uso del vaso come puteale, sia per le dimensioni, sia perché non conservava tracce di usura. Per quanto riguarda le misure, Castelletti ricorda 1 metro circa di altezza, 75 centimetri di diametro e uno spessore di circa 8 centimetri; Cherubini dice invece che il pozzo fu scavato per circa 5 piedi, pari a circa 1,82 metri, e aveva un diametro di 19 once.
Scavandolo "l'hanno trovato posato sopra pietre non messe in calce, hanno scavato il pozzo per circa 5 piedi, ed hanno trovato sassi e terra o argilla turchina, come quella in cui si trovò collocata la lapide". Questi oggetti furono acquistati da Gaetano Casali, che faceva parte della Società cui Cipriano Castelletti attribuì erroneamente lo scavo del 1822, mentre la Società con Speroni e Castelletti si formò per lo scavo del 1834 (nei documenti relativi a questo scavo non figura mai Casali). Pfiffig (PFIF. 120-125), basandosi sull'iscrizione CIE 4383 (*fa.leunei.au.velθineal.sec.*), trovata nel 1822 genericamente "in agro Perusino", pensa che il cippo si trovasse vicino a una tomba gentilizia, distrutta dopo la vendita clandestina dei materiali: ipotesi suggestiva, ma priva di riscontro sia nelle notizie archeologiche, sia in quelle d'archivio.
Forse alla notizia ricordata dal Conestabile, di cui fa menzione Defosse (DEF. 1973, 357-358), del rinvenimento nel 1859 in un luogo vicino, di sette tubi di terracotta, due dei quali con iscrizione (BAP 2433; CON. 1861, 13-14; CON. 1870, 438-439; CII 1918 ter), si può collegare questa di Guardabassi: "In scavi posteriori si trovarono resti di due camere piccole, che furon credute appartenere ad un bagno. Molti e bei frammenti di figuline di Arezzo, vasi bianchi e neri senza pitture ed alcune pietre incise compievano il trovamento. Di queste ultime una corniola con un genio che sacrificava a Priapo legata in oro dal proprietario e poi venduta allo Speroni" (GUA).
Mariano Guardabassi dà anche il quadro generale dei ritrovamenti, dicendo che "la pietra, i termini ed il pozzo trovavansi in una sola linea volta ad Ovest e tre strade facevano capo in questo punto, le quali non furono esplorate sgomentati dall'altezza del riempimento, che nel punto più elevato misurava m. 7" (GUA).

S.F. L.N.

Il cippo: materia e stato di conservazione.
Perugia, Museo Archeologico Nazionale dell'Umbria
Inv. 366
Altezza 149 cm;
altezza dello zoccolo grezzo 45/48 cm.
Larghezza 54 cm.
Spessore 24,5 cm.
Blocco di travertino molto compatto, soltanto sbozzato nella parte bassa e, per i restanti due terzi dell'altezza, sagomato in forma di perfetto parallelepipedo rettangolo: spianato sui lati posteriore e destro, è levigato con cura sui due restanti lati recanti l'iscrizione.
Lungo lo spigolo anteriore destro la superficie levigata si abbassa di circa 3 cm.: ciò sembra da porsi in rapporto con la presenza di una sottilissima linea incisa, solo saltuariamente percettibile, che corre verticale lungo il limite destro della faccia anteriore, a fare da guida per il corretto allineamento delle lettere d'inizio delle righe. Tale linea venne evidentemente "battuta" con l'ausilio di un filo teso la cui aderenza era migliorata dalla eliminazione, o abbassamento, della risega in quel punto.
Sulla faccia superiore vi sono i resti di incassi, distanziati di circa 30 cm, riutilizzati nell'esposizione moderna del cippo per l'inserimento di grappe di ferro.
Lo spigolo peggio conservato è quello anteriore alto: ne conseguono difficol-

<table>
<tr><td>velθina · ś</td><td>*Thes*·velθinaś</td><td>eu*r*at · tanna · la · rezu | *l*</td><td>*Thes*·(x)eu*r*at larezu*x*</td></tr>
<tr><td>atena · zuc</td><td></td><td>ame|vaχr|lautn · velθinaś e</td><td></td></tr>
<tr><td>i · enesci · ip</td><td></td><td>śtla|afunaś sleleθ|caru</td><td></td></tr>
<tr><td>a · śpelane</td><td></td><td>tezan fuśleri tesnś|teiś</td><td></td></tr>
<tr><td>θi · fulumχ</td><td></td><td>raśneś ipa ama|hen|naper</td><td></td></tr>
<tr><td>va · śpelθi ·</td><td></td><td>XII velθinaθuraś araś|pe</td><td>*Thes*·araś·pe</td></tr>
<tr><td>reneθi · eśt</td><td></td><td>raśc|emulm|lescul zuci en</td><td>*Thes*·raś cemulmlescul zuci·en</td></tr>
<tr><td>ac · velθina</td><td></td><td>esci epl|tularu ·</td><td>*Thes*·esci·epl|tularu</td></tr>
<tr><td>acilune · *θ*</td><td>*Thes*·acilune·</td><td>auleśi · velθinaś arznal cl</td><td></td></tr>
<tr><td>turune · śc</td><td></td><td>enśi · θii · θil|ścuna · cenu · e</td><td>*Thes*·θil·ścuna</td></tr>
<tr><td>une · zea · zuc</td><td></td><td>plc · felic|larθalś|afuneś</td><td></td></tr>
<tr><td>i · enesci · aθ</td><td></td><td>clen θunχulθe</td><td></td></tr>
<tr><td>umicś · afu</td><td></td><td>falaś · χiemfuśle · velθina</td><td>*Thes*·χiem·fuśle</td></tr>
<tr><td>naś · penθn</td><td></td><td>hinθa cape municlet masu</td><td>*Thes*·hinθa·cape·municlet</td></tr>
<tr><td>a · ama · velθ</td><td></td><td>naper · śran czl|θii falśti v</td><td>*Thes*·śranc·zl θii falśti·</td></tr>
<tr><td>ina · afu*n* –</td><td>*Thes*·ina·afun*a*</td><td>elθina hut · naper · penezś</td><td>*Thes*·elθina·hut</td></tr>
<tr><td>θuruni · ein</td><td></td><td>masu · acnina · clel · afuna|vel</td><td></td></tr>
<tr><td>zeriuna · cl</td><td>*Thes*·cχ</td><td>θina|mlerzinia · intemame</td><td>*Thes*·θinam lerzinia·</td></tr>
<tr><td>a · θil · θunχ</td><td></td><td>r · cnl · velθina · zia śatene</td><td></td></tr>
<tr><td>ulθl · iχ · ca</td><td></td><td>tesne · eca · velθinaθuraś θ</td><td>*Thes*·velθinaθuraś·θ</td></tr>
<tr><td>ceχa · ziχuχ</td><td></td><td>aura|helu|tesner|aśne|cei</td><td></td></tr>
<tr><td>e</td><td></td><td>tesnśteiś raśneś χimθ|śp</td><td></td></tr>
<tr><td></td><td></td><td>el|θuta ścuna afuna mena</td><td>*Thes*·elθ uta</td></tr>
<tr><td></td><td></td><td>hen · naper · ci cnl|hare utuśe</td><td>*Thes*·ci·cnl·hare</td></tr>
</table>

Le barrette verticali indicano proposte di separazione di parole non interpunte, né segnalate da spaziature inequivocabili.

tà di lettura limitate alla prima riga dell'iscrizione. Questa è incisa con solchi profondi di notevole regolarità: le lettere, originariamente rubricate, misurano in media 3 cm. di altezza.

Struttura e collocazione originaria.
Il "cippo" sporgeva in origine dal terreno per la sola parte levigata, e cioè per poco più di un metro di altezza. Gli incavi sulla faccia superiore (recanti resti di piombo) sono stati interpretati come tracce di grappe che anche in antico avrebbero bloccato la pietra a una struttura, cui dunque essa sarebbe stata addossata, o addirittura murata. Per la verità sorprende che un monumento di così modesto sviluppo verticale, oltretutto solidamente ancorato a terra per una porzione pari ad un terzo dell'altezza totale (ma a ben più di un terzo del complessivo peso!), avesse bisogno di un simile ulteriore aggancio: come sorprende che, al solo scopo di apporre la scritta in corrispondenza dell'angolo di un edificio, si producesse tutto lo sforzo connesso con l'esecuzione del "cippo", per poi affogarlo nella struttura dell'edificio stesso.
L'andamento della scritta non deve ingannare. Che essa esordisse sulla faccia principale è ovvio, come ovvio è che, esaurito lo spazio disponibile su questa, il testo di estendesse "spontaneamente" sulla faccia sinistra, secondo la stessa logica dell'andamento della scrittura, da destra verso sinistra. È dunque errato cercare in questo un indizio di una originaria collocazione particolare. Si aggiunga che, se è naturale che le superfici via via interessate dall'iscrizione abbiano avuto una più accurata finitura, ciò non toglie evidenza al fatto che il blocco era stato perfettamente sagomato e ben spianato su tutte e quattro le facce destinate a sporgere da terra.
Una esposizione "a giorno" risulta, tutto sommato, molto più credibile, e le tracce dei due fori (da esaminare attentamente) potrebbero essere indizio di qualche coronamento del cippo, andato perduto. Come in altri oggetti similari, potrebbe essersi trattato di una statua o, meglio, data la distanza fra quelle intacche, di due elementi distinti: e il pensiero corre ai due "termini" che la memoria di M. Guardabassi ci assicura rinvenuti accanto alla "pietra scritta" e che la seguirono nei suoi successivi spostamenti, ma troppo lontani dalle luci del proscenio (a tutt'oggi non sono stati rintracciati).
Che due cippi, immagine non figurativa ("aniconica") del dio Silvano-Terminus "custode dei confini", reduplicata forse proprio in relazione alle due *gentes* dei *Velthina* e degli *Afuna* menzionate nell'iscrizione, coronassero materialmente il monumento destinato a eternare – come vedremo – un patto affidato comunque, per sua natura, alla tutela di quel dio, ci sembra l'ipotesi più probabile.

Il testo: redazione e grafia.
Il testo si estende per 24 righe di 20/22 lettere sulla faccia anteriore, e 22 righe di 8/9 lettere su quella laterale. Si è vista la cura posta dal lapicida nell'allineamento delle righe a destra, sulla faccia principale: a sinistra si hanno casi in cui pochi millimetri separano l'ultima lettera dal ciglio della pietra.
Balzano agli occhi, ancora una volta, nette partizioni del testo, segnalate da spazi vuoti: due maggiori, all'ottava e dodicesima riga della faccia anteriore, e due minori, l'una alla diciannovesima, l'altra – meno sicura – alla sesta del lato minore.
La mancata utilizzazione dello spazio in basso sul lato frontale è evidentemente giustificata sia da preoccupazioni di leggibilità (le ultime righe si sarebbero trovate a fil di terra) sia dal chiaro desiderio del lapicida di non squilibrare troppo l'altezza del testo – di cui ovviamente conosceva la completa estensione – fra le due facce del cippo. È visibile infatti la maggiore spaziatura ch'egli diede, a tale scopo, alle lettere sul lato minore.
Nella sostanziale omogeneità della grafia, un possibile cambio di mano – o comunque di tratto – si percepisce nelle righe centrali del lato anteriore, in coincidenza con l'inizio del secondo paragrafo del testo: la differenza si avverte fin verso la quindicesima riga, a partire dalla quale si direbbe progressivamente annullata.
La redazione dell'epigrafe presenta una anomalia, alla quale, nel quadro di una stesura così accurata e"monumentale", non si può disconoscere importanza. Alla dodicesima riga le parole *clen θunχulθe* occupano la metà sinistra della riga, mentre la metà destra è vuota, e prolunga l'interruzione già iniziata al termine della riga precedente. Che dunque le due parole siano da considerarsi una continuazione del testo precedente non è ammissibile, perché il lapicida avrebbe in tal caso potuto – come normalmente fa – scriverle di seguito, iniziando subito dopo la parola *afuneś*, proseguendo nella metà destra della riga successiva e, se necessario, lasciando vuota la sinistra, a segnalare la pausa nel testo. È d'altronde indubbio che si tratta di un complemento, un'integrazione; la collocazione di essa in corrispondenza della parte finale della riga rientra in un costume grafico ben preciso, e conosciuto; soprattutto se la si riferisce, come credo si debba fare, alla riga successiva (si ricordino i casi segnalati nel *liber linteus* di Zagabria!).
Rispettando dunque le indicazioni fornite dalle spaziature, credo si debba individuare, nella nona riga dell'iscrizione, l'inizio di un secondo paragrafo breve, che si conclude all'undicesima riga, e nella dodicesima riga il complemento della tredicesima. Il motivo di questo particolare procedimento ci sfugge: potrebbe ricercarsi, piuttosto che in una svista, nell'intenzione dello scriba di isolare e riprodurre qui l'andamento e la lunghezza che la riga d'esordio di questa sezione centrale del testo aveva nel documento dal quale egli evidentemente copiava.
Credo comunque che lo sviluppo totale del testo delle righe 13 + 12, possa contenere per noi "l'impronta", voluta o meno, del taglio delle righe nel documento dal quale questa iscrizione dipende: righe, in media, di 31/33 caratteri (assai simili a quelle del *liber linteus* di Zagabria). Merita a questo proposito di essere menzionato un altro indizio del fatto che questo testo è copiato: sulla faccia laterale infatti, alla fine della riga nona, era stata incisa una *θ*, poi abrasa: il lapicida si accingeva a scrivere *θurune* (poi corretto in *turune*) forse perché con l'occhio era saltato al *θuruni* che sulla sua fonte doveva comparire poco oltre.
L'interpunzione, come di norma in questa fase (e come nel *liber*!), distingue le parole l'una dall'altra: tuttavia si notano frequenti omissioni, come nella lunga formula che costituisce il primo settore del testo.
L'iscrizione è redatta in un alfabeto che può considerarsi tipico dell'area etrusca settentrionale interna per un periodo situabile fra III e II sec. a.C.:

un alfabeto assai simile a quello impiegato nel *liber linteus* di Zagabria, salvo alcune caratteristiche più marcatamente perugine, quali i tratti ascendenti delle *t* e delle *z*.

Il testo: il contenuto

Si affaccia, con le considerazioni fin qui compiute, un'ipotesi: che cioè l'iscrizione del Cippo di Perugia non rappresenti la prima stesura del testo, bensì la trascrizione di un documento redatto ed archiviato altrove, del quale le facce del travertino ci conservano una "copia", in un'impaginazione secondaria, anche se accuratissima, solenne e monumentale.

Che un atto giuridico, qual è quello che il Cippo ha presto rivelato di contenere, fra le due famiglie dei *Velθina* e degli *Afuna* (i cui nomi costellano il testo: 11 volte ricorre quello dei primi, 6 volte quello dei secondi) potesse essere improvvisato, e poi "verbalizzato", per così dire, direttamente dallo scalpellino, è di per sè ipotesi da respingere. In tal caso la verifica dell'eventuale "trasparenza" e articolazione del documento-fonte è di tale importanza (e comunque preliminare ad un tentativo di traduzione) che ritengo utile presentarne qui una proposta di ricostruzione. Essa è stata elaborata in base ad una selezione fra più ipotesi differenziate di "taglio" delle righe secondo lunghezze modulari, modificate soltanto dalla ricerca della più prossima separazione certa fra le parole e fra i "paragrafi".

Nella trascrizione del testo, realizzata con l'ausilio di un computer, si è trascurata l'interpunzione, data la sua presenza discontinua e irrilevanza ai fini della spaziatura.

```
  EURATTANNALAREZULAMEVAXRLAUTN      I,1
VELΘINAMEMTLAA8UNAMSLELEΘCARU
TEZAN8UMLERITESNMTEIMRAMNEMIPAAMA
HENNAPERXIIVELΘINAΘURAMARAMPERAMC
EMULMLESCULZUCIENESCIEPLTULARU

AULEMIVELΘINAMARZNALCLENMIΘIIΘIL     II,1
SCUNACENUEPLC8ELICLARΘALMA8UNEM

8ALAMXIEM8UMLEVELΘINACLENΘUNXULΘE    III,1
HINΘACAPEMUNICLETMASUNAPERMRANC
ZLΘII8ALMTIVELΘINAHUTNAPERPENEZM
MASUACNINACLELA8UNAVELΘINAMLER
ZINIAINTEMAMERCNLVELΘINAZIAMATENE

TESNEECAVELΘINAΘURAMΘAURAHELU        IV,1
TESNERAMNECEITESNMTEIMRAMNEM
XIMΘMPELΘUTAMCUNAA8UNAMENAHEN
NAPERCICNLHAREUTUMEVELΘINAMATENA
ZUCIENESCIIPAMPELANEΘI8ULUMXVA
MPELΘIRENEΘIEMTACVELΘINAACILUNE
TURUNEMCUNEZEAZUCIENESCIAΘUMICM
A8UNAMPENΘNAAMAVELΘINAA8UNA
ΘURUNIEINZERIUNACLAΘILΘUNXULΘL
IXCACEXAZIXUXE
```

La redazione qui proposta è risultata ottimale, e si raccomanda come particolarmente convincente, per i seguenti aspetti:

il "modulo"-base coincide con la lunghezza della riga risultante dalla somma delle righe 13+12 del Cippo;

organizzato secondo tale modulo, tutto il testo ne risulta distribuito in righe di lunghezza straordinariamente omogenea, talchè nessun "paragrafo", eccettuato l'ultimo, finisce con una riga di lunghezza inferiore alla media;

la riga conclusiva, la sola più breve delle altre, contiene la chiarissima formula finale: "come questo patto (o diritto o norma) è stato scritto" che suggellerebbe, significativamente scorporata dal resto dell'enunciato, le clausole dell'accordo;

il modulo – una riga di più o meno 31 caratteri – ritrovandosi pressoché identico nel *liber linteus* di Zagabria, estende a questo aspetto redazionale l'affinità già più volte denunciata fra i due documenti, in particolare per quanto riguarda la partizione del testo in capitoletti;

il testo, così ripartito, rispetta senza eccezioni tutte le "simmetrie", le assonanze, gli omoteleuti ecc. che contraddistinguono o collegano sequenze intere di parole, secondo le evidenti figure retoriche di un linguaggio "ritualizzato": si vedano ad es. nelle righe I,4-5, le sequenze *araś peraśc, emulm lescul, zuci enesci;* nelle righe IV,1-2, l'inizio simmetrico con *tesne;* nelle righe III,5 e IV,4 la fine in *śatene* e *śatena;* nelle righe III,1 e IV,9 la fine in *θunχulθe* e *θunχulθl;* nelle righe IV,5-6-7 le sequenze, sempre in posizione iniziale, *zuci enesci, śpelθi reneθi, turune ścune;* il parallelismo fra la posizione di *turune* all'attacco della riga IV,7 e quella di *θuruni* nella IV,9 (che rende, tra l'altro, comprensibilissima la svista in cui lo scalpellino era incappato copiando, quando aveva inciso uno *θ*, poi abraso, al posto del *t* di *turune!*);

ulteriori verifiche questa ipotetica stesura del testo originale otterrà, e reciprocamente ne offrirà, nella traduzione del testo, con i trasparenti parallelismi ch'essa presenta fra i passaggi del contenuto e la proposta scansione della formulazione di esso.

Per quanto riguarda il contenuto dell'iscrizione, è opinione concorde che essa si riferisca ad un contratto tra le famiglie dei *Velθina* e degli *Afuna*, menzionate nel loro insieme e nelle persone rispettivamente di *Aule Velθina* e *Larth Afuna* (righe 9 e 11), avente per oggetto la ripartizione, o l'uso, di una proprietà sulla quale insisterebbe una tomba gentilizia dei *Velθina,* della quale parimenti vi si deciderebbe la titolarità. La famiglia dei *Velθina* è perugina, quella degli *Afuna,* altrimenti ignota a Perugia, è piuttosto diffusa nel territorio di Chiusi.

Nell'esordio (righe 1-2) è fatta menzione di un giudice, o testimone, *(t)eurat, Larθ Rezu* – altro nome prettamente perugino – in presenza del quale fu *(ame)* un patto *(vaχr)* fra le due famiglie. È quindi evocato il concetto di "etrusco" o "pubblico" *(raśneś)* in verosimile connessione con la fonte del diritto cui nella stipula dell'accordo si attinge (*"ius publicum"*, o *"etruscum"*). Appare quindi, per la prima volta (riga 5), la parola *naper* che precede un'indicazione numerale (riga 6: *"XII"*); ciò che nel testo si ripeterà altre tre volte: alle righe 15, 16 e 24. In *naper* si riconosce il plurale di un termine indicante unità di misura – probabilmente di superficie. Alla riga 8 è fatta menzione esplicita di confini: *tularu.* Il valore di questa parola ci è ben noto da una serie di iscrizioni su cippi confinari, particolarmente diffusi in età ellenistica nell'area perugina, cortonese e fiesolana, recanti la dicitura *tular rasnal* o *tular spural,* traducibili rispettivamente con "confini pubblici" e "confini urbani".

Se a queste nozioni aggiungiamo la possibile menzione di una tomba dei *Velθina* (righe 20-21: *velθinaθuras θaura*), del monumento stesso (lato minore, righe 14-15: *penθna*), della trascrizione stessa del patto (nella chiusa, *ziχuχe* si traduce con sicurezza "è scritto, sta scritto"), abbiamo a disposizione i capisaldi di tutte le traduzioni fin qui tentate. Ben più perplessi lasciano invece gli sforzi di penetrare più in dettaglio entro le maglie del testo, anche perché compromessi non soltanto da una lettura ancora suscettibile di perfezionamenti, ma soprattutto da una sorprendente sottovalutazione o fraintendimento proprio della struttura esterna dello scritto, in primo luogo delle sue principali, nette (e trascurate) cesure: basterà a questo proposito ricordare che la più chiara fra tutte (quella fra la riga 8 e la 9) è del tutto ignorata dalle traduzioni più accreditate.

Appendice

I documenti sono stati trascritti con assoluta fedeltà al testo; sono state sciolte le sigle e le rare abbreviazioni; la punteggiatura, le maiuscole e le minuscole sono state rese secondo l'uso moderno.

Lettera di G.B. Vermiglioli a V. Cherubini (BAP, Ms. 2285, fasc. I, c. 1r). Questa lettera è contenuta nel primo dei nove fascicoli che compongono un manoscritto appartenuto a Mariano Guardabassi, conservato nella Biblioteca Augusta di Perugia. Questo primo fascicolo contiene lettere indirizzate da G.B. Vermiglioli a V. Cherubini, il secondo lettere di Vincenzo Campanari al Cherubini, non riguardanti direttamente il Cippo Perugino; i fascicoli III, IV e V conservano indicazioni sul luogo della scoperta e le vicende ad essa connesse; nei fascicoli VI e VII sono estratti dell'articolo di V. Campanari sull'iscrizione, pubblicati nel Giornale Arcadico *Aprile 1827, 1-16, e Agosto 1827, 1-36; l'VIII fascicolo contiene fogli volanti con fac-simili dell'iscrizione; il IX è la copia, donata dall'autore, del* Saggio di Congetture sulla Grande Iscrizione Etrusca scoperta nell'anno MDCCCXXII, *di G.B. Vermiglioli, appartenuto a V. Cherubini.*

Illustrissimo signore

Perugia 26 8bre 1822

Se non fossi tornato per momenti a Perugia, sarei corso di volo al luogo della pietra da Vostra Signoria indicatomi, e della quale attenzione le sarò gratissimo. Al mio ritorno, che sarà verso i 20 dell'entrante, mi ci porterò subito al luogo, per vedere cosa sia la pietra descrittami, che potrebbe essere preziosissima cosa. Intanto Vostra Signoria non la perda di vista, perché non perisca, ed al mio ritorno sarò subito dopo da Vostra Signoria Illustrissima, per essere meglio diretto.
Le rinnovo i miei ringraziamenti, e pieno di stima mi rassegno

Devotissimo Servitore
Gio. Battista Vermiglioli

Lettera di G.B. Vermiglioli a V. Cherubini (BAP, Ms. 2285, fasc. I, cc. 2r-5v)

Signor Vincenzio Padrone Stimatissimo
Casa 27 8bre 1822

Le comunicherò tutto con la massima secretezza e silenzio.
Ier sera ho potuto scoprire, che questa società di cavatori ne sarebbe nella intenzione di togliere dalle mani del Signor Castelletti la nota Pietra, credendo che egli non ne faccia alcun conto; ma dopochè la stessa società ha saputo che io ho fatto delle premure per averla al pubblico uso, non sarà forse tanto premurosa nelle istanze, e potrebbe anche dimetterne ogni pensiero. Ciò non pertanto, io mi recai subito da Monsignor Delegato, a pregarlo che si valesse anche esso impegnare con il Signor Castelletti a volerci favorire quel sasso, e Monsignore ci favorirà. Ho aggiunto poi al medesimo, che me assente, potrebbe intendersela con il Signor Ispettore Colizzi, al quale potrebbe dire anche il mio nome, come sarebbe opportunissima cosa che il Signor Colizzi medesimo si portasse con qualche sollecitudine dallo stesso Monsignore, anche per fargli una visita di convenienza, giacchè egli ci favorirà del suo impegno, e nuovamente pregarlo per essa, ed aggiungere alle mie, nuove preghiere, perché voglia compiacersi praticare buoni offici presso il Signor Castelletti, sempre in atto di preghiera e di cortesissimo dono, per non offenderlo. Che, se potesse ottenersi qualche cosa, per le spese nel doverla estrarre penserò io dei piccioli assegnamenti del Museo, che dà la città, ma che essendo scarsissimi, non potrei estenderli al di là di queste picciole spese, come non potrei estenderci la mia scarsa borsa, impegnata in due stampe, che mi costano assai, e nel continuo acquisto di libri che veramente mi spiantano.
Del rimanente ho fatto questa notte, in cui appena mi sono coricato, qualche studio su di essa pietra, che veramente è preziosissima, e sola basterebbe a rendere singolare e rinomatissima la nostra collezioni [*sic*] di lapidi di Monte Morcino, e perché più nota e celebre si rendesse, acquistata che fosse, ne darei subito notizia al pubblico per via di stampe, e si renderebbe certamente glorioso lo zelo dell'Università stessa nell'acquistare un monumento, che fra le pietre etrusche scritte, io fin qui la stimo, la prima,- e la più singolare. Che poi, sarebbe tanto male, anche che, dovendola acquistare a prezzo, che i Signori Professori usassero la generosità di dare ciascuno de' propri appuntamenti un pajo di scudi per uno? Se ho da dire il vero, come sarebbe pure lodevole la piccola generosità, sarebbe anche vergognosa la ricusa, nel caso che non si facesse qualche istanza. Di ciò ne parli seriamente con il Signor Colizzi, pure che il marmo così prezioso non parta da noi, e glie ne parli seriamente. Nei miei studi, come le dissi, ho pure qualche cosa scoperto, e se non fosse altro mi sono assicurato indubitamente, che la iscrizione del fianco non va letta unitamente a quella di fronte, ma separatamente, e ciò è moltissimo, poichè era questo un dubbio, ed una circostanza, che avrebbe imbrogliato tutti gli antiquari del mondo. Vo in campagna non potendone fare a meno, ma vo carico di libri necessari per lo stesso oggetto, e vi studierò assai assai. Penso che se i Signori Professori volessero contribuire unitamente, forse neppure vi occorrerebbero un pajo di scudi per ciascuno, ma anche meno. Che meno appunto? Io intanto contribuirei il doppio degli altri, e poi degli assegnamenti del Museo darei scudi 15 dei quali, defalcata la spesa, il rimanente andrebbe per la compra, quante volte non si potesse avere diversamente. Veda dunque che se 22 de' Signori Professori dessero ciascuno scudi 1,50 sarebbero scudi 33; a questi, riunendo io altri scudi 1,50 e poi scudi 15 del Museo, sarebbero pure circa scudi 50, ed io penso che, comprendendovi le spese, potrebbero sicuramente bastare, perché quella pietra al più potrebbesi pagare zecchini 15, ma anche generosissimamente, il che onninamente conviene alla Università, che in caso diverso ne avrebbe giustamente anche del biasimo. Penso che il mio progetto possa piacere a Lei ed al Signor Colizzi. E questo bravissimo e zelantissimo Ispettore ne avrebbe i suoi meriti, se, unitamente a Vostra Signoria Illustrissima piena di lodevole amor patrio, se ne occupassero sollecitamente, onde togliere o in un modo o nell'altro ogni pericolo che il marmo ci si tolga. Quanto poi al Signor Colizzi piaccia il progetto, per assicurarci la somma, nel caso che la pietra si dovesse pagare, sarebbe bene che in persona officiasse i Signori Professori a sottoscrivere un foglio per scudi 2 ciascuno, o scudi 1,50 come piacerà al Signor Ispettore, avvertendo che, se dal conto avanzasse qualche cosa, si renderà ripartitamente fuori che a me, che darò il doppio degli altri, e che, unitamente a mio fratello, mi abbia per segnato. Potrà aggiungere a' Signori Professori, che, nel luogo ove si collocherebbe il marmo, si apporrebbe una iscrizione in lode ed onore de' professori, e della loro generosità. Le dirò in fine, ma fra noi, che il monumento è prezioso per modo, che potrebbe partire da Perugia anche a dispetto della sua mole, in un

La località dove venne rinvenuto il Cippo di Perugia

La più antica menzione del Cippo nella lettera del Vermiglioli al Cherubini (26 ottobre 1822)

Primo facsimile del Cippo con annotazioni del Cherubini

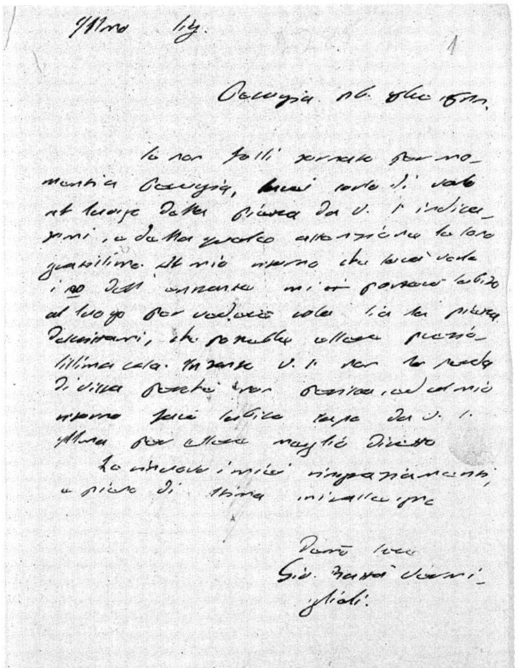

Rinvenuta da me Vincenzio Cherubini nei primi di Ottobre 1822. ed estratta dal terreno
che la copriva il dì 30. Ottobre d.o; rimaneva in un fosso alla profondità di piedi 14. perugini
La rinvenni in un fosso presso una fonte capo d'acqua — sotto il piano di campagna
dei fiumicello – Genna – che trovasi nella gola di Monte Malbe, e Monte Pacciano,
distante un miglio circa da Perugia, praticando per la conca la Via di Monte Morcino
vecchio, e S. Lucia subborgo.

tempo in cui, anche nel settentrione, le cose etrusche sono in grandissimo pregio, ed a dì nostri tutto giorno si caricano marmi enormi dall'Egitto per trasportarli altrove. Vi occorrono dunque sollecitudine in Lei e Signor Colizzi, per acquistarla anche a prezzo, non potendola avere diversamente, vi occorrono zelo ed impegno nell'effettuare un progetto che sarebbe a Voi di lode immensa, e lode che io penserò farla palese. Nel caso poi che se ne facesse l'acquisto, vorrei che non si collocasse senza di me.
Perdoni per carità la noja, e raccomandandomi a Lei ed al Signor Colizzi, con il quale vorrei che tenesse serissimo e sollecito discorso, anche perché officiasse Monsignor Delegato, il di cui favore ci potrebbe essere utilissimo anche dovendola procurare a prezzo, onde pagarla meno che si può, me le riconfermo

Devotissimo servitore
Gio. Battista Vermiglioli

Lettera di G.B. Vermiglioli a V. Cherubini (BAP, Ms. 2285, fasc. I, cc. 6r-v)

Signor Vincenzio Padrone
San Valentino 28 8bre 1822
Tanto è mio caro Signor Vincenzio, l'inquietezze mie erano tali, dopo il discorso tenuto con alcuno di quella società, al che vi avea perduto e fame e sonno, e molta tristezza ne avea. Si trattava di togliermi una sposa, e forse mi si sarebbe tolta se, per congiugnermi con essa, non dava a Lei il mandato di procura. Io dunque le sarò sì grato, che al mio ritorno abbraccerò prima Lei che la sposa medesima. Le accludo a parte la lettera del Signor Colizzi, mentre ho gusto che la legga. Quanto io poi le sia grato dell'attenzione nello spedirmi sì fausta novella, non ho termini da esprimerlo, e prego Lei di ravvisare nel mio stesso silenzio la mia riconoscenza. Non dubito che il Suo impegno si estenderà ad ogni cura per il trasporto, e ad ogni diligenza perchè non soffra, e ché non si rompa negli spigoli. Le faccia pure il letto di verdure, e sarà benissimo, e si ricordi che io voglio la sposa vergine e sana. Scherzo con Lei perché al momento dal più pessimo umore sono nello stato più lieto ed allegro del mondo, al quale mi ci hanno condotto le lettere del Signor Colizzi e Sua. Se non dispiace al Signor Colizzi, la faccia porre diritta per ora, dopo salito il primo banco della scala grande. Altro che tordi, che polenta e fringuelli, questa è la più bella caccia che nell'ottobre del 1822 siasi fatta in tutta Europa, e noi dobbiamo esserne gloriosi per modo da segnare a caratteri d'oro quest'epoca.
Allo spedito non dia niente, che io l'ho regalato di paoli cinque.
Mi ricordi, e mi creda tutto suo di cuore.

Devotissimo obbligatissimo servitore
Gio. Battista Vermiglioli

Minuta di lettera di Monsignor U. Spinola Delegato Apostolico in Perugia al Professor F. Colizzi Ispettore dell'Università di Perugia. (ASP, Atti della Delegazione Apostolica di Perugia, Divisione III, Titolo VIII, Istruzione Pubblica, Art. 3°, (Accademia e Società Letterarie – Scavi di Antichità – Belle Arti), 1822, III, 2361.

N° 5758
Signor Professor Colizzi Ispettore dell'Università
Perugia
Spedita
28 8bre 1822
Profittando dell'indicazione che ha favorito darmi Vostra Signoria Illustissima, ed il Signor Vermiglioli, che si trovava in un fondo del Signor Antonio Castelletti un'Antica Pietra con pregevole iscrizione etrusca, mi sono affrettato di comprarla (a) dal detto Signor Castelletti, ed avendone già eseguito il contratto, sarà mio pensiero di farla trasportare in cotesto Museo dell'Università, ove ho piacere che rimanga: pregherò solo il detto Signor Professore Vermiglioli in unione di (b) un Deputato della Congregazione (c) Ausiliare di Belle Arti a presiedere al detto trasporto, affinché (d) non abbia da soffrir danno l'indicato monumento. Gradisca (e) in questo incontro i sentimenti della distinta mia stima, colla quale ho il bene di protestarmi

Spinola

(a) comprarla *ha sostituito* acquistarla *depennato*.
(b) di *ha sostituito* del *depennato*.
(c) Congregazione *ha sostituito* Commissione *depennato*.
(d) affinché *ha sostituito* onde *depennato*.
(e) Gradisca *ha sostituito un errore ortografico*.

Minuta di lettera di Monsignor U. Spinola Delegato Apostolico in Perugia al Cardinal Camerlengo (ASP, Atti della Delegazione Apostolica di Perugia, Divisione III, Titolo VIII, Istruzione Pubblica, Art. 3°, (Accademia e Società Letterarie – Scavi di Antichità – Belle Arti), 1822, III, 2361.

N. *6902*
Roma
Eminentissimo Signor Cardinal Camerlengo
Perugia
Acquisto fatto da Sua Eminenza Reverendissima Monsignor Spinola, Delegato Apostolico in Perugia, di una pietra con iscrizione a caratteri etruschi. Copione al Museo della Università.
21 Decembre 1822.
Nei terreni proprii rinvenne casualmente il Signor Castelletti una rozza pietra con una iscrizzione (*sic*) a caratteri etruschi, quale credetti (a) nel mio particolare di farne acquisto, e depositarla in questo Museo dell'Università di Perugia. Siccome da questo Signore Professore di Antiquaria se ne è fatto imprimere il rame, così credo mio dovere di presentarlo a Vostra Eminenza Reverendissima, unitamente ai sentimenti del mio profondo rispetto, e venerazione

Spinola

(a) credetti *ha sostituito* è stata *depennato*.

Minuta di lettera del Delegato Apostolico di Perugia G. Cherubini al Cardinal Camerlengo a Roma (ASP, Atti della Delegazione Apostolica di Perugia, Divisione III, Titolo VIII, Istruzione Pubblica, Art. 3°, (Accademia e Società Letterarie – Scavi di Antichità – Belle Arti), 1828, IX, 2367.

3003
Eccellentissimo Signor Cardinal Camerlengo
Roma
Istanza Cherubini per premio per aver denunciato un'antica Lapide.
3 Giugno 1828*
Sussiste che Vincenzo Cherubini di questa città (a), fin dall'Ottobre 1822, andando a caccia, trovò casualmente alle radici di Monte Malbo una gran Lapide Etrusca che, per le piogge che erano di recente cadute, erasi discoperta; e che, premuroso non andasse soggetta a deperimento, si dette moltissima cura di farla da alcuni contadini del luogo custodire, fino a che non se ne fosse conosciuto il merito, e non fosse stata scalzata per trasportarsi in sicuro luogo.
Altresì sussiste che Egli ebbe tutto l'impegno di farla prendere in esame dall'egregio Professore Archeologo Signor Vermiglioli, il quale, riconosciutala di molto pregio, sempre di concerto col detto fortuito Discopritore, la fece trasportare in Perugia, ove richiamò le cure del mio Predecessore Monsignor Spinola, il quale (b) fece acquisto dal Proprietario del fondo di tale vetusta Lapide, e generosamente la donò a questa Pontificia Università; lasciando così una eterna (c) testimonianza della sua munificenza per le arti belle. Il Cherubini poi, per lo zelo da esso addimostrato nel denunciare questa etrusca iscrizione, e per far tutt'altro (d) di sopra accennato (non potendoglisi attribuire il merito della invenzione essendo stato il rinvenimento (e) da esso fatto meramente casuale, come Egli stesso nella Memoria confessa, e di sopra si è indicato), ha riportato finora i massimi elogi dai suoi concittadini, ed in specie dai dotti che hanno sempre ritenuto come effetto del suo amor patrio, e come risultato del suo volontario interessamento per le arti belle, le sue sollecitudini a questo riguardo. Ha quindi destato in tutti non comune meraviglia il sentire che il Cherubini sudetto, decorsi cinque anni dall'epoca del discoprimento, non si sa per qual specioso motivo, cerchi (f) di offuscare tutto quel merito (g) e gratitudine che gli avevano conciliato il suo disinteresse, e domandi di ottenere un compenso (h) per aver denunciato il ripetuto Monumento.
Di fatti, interpellato questo Monsignor Vescovo nella qualità di Cancelliere di questa Pontificia Università, ha, a mezzo della Relazione del citato Professore Signor Vermiglioli Conservatore del Gabinetto di questa Pontificia Università alla quale si è onninamente riportato, fatto conoscere la sua sorpresa nel sentire l'istanza del Cherubini. Egualmente sorpresa è stata quest'Accademia di Belle Arti, la quale anch'essa non ha potuto non riferirsi a detta relazione; e credo che di consimile parere sarebbe stata questa Commissione di Belle Arti, la quale non ho potuto convocare perché, ad eccettuazione di uno, tutti gli altri componenti la medesima (i) sono irreperibili, i Signori Menicucci e Carattoli perché assenti, il Signor Pecci perché da lunghissimo tempo malato. Presso ciò, io non posso che essere di sentimento negativo sulla istanza del Cherubini avanzata e perché serotina, e perché quanto Egli ha fatto (l) deve ritenersi proprio di ogni buon cittadino, rimanendo per qualche piccola spesa (m) sostenuta, compensato dalla stima (n) che fin d'allora gli accordarono i suoi concittadini. Non saprei poi per qual circostanza non siasi resa nota a Vostra Eminenza Reverendissima la scoperta della più volte citata Lapide, del di cui pregio non potrei darLe miglior conoscenza che col rimetterLe, conforme faccio in unione alla intera Posizione, un esemplare a stampa delle dotte illustrazioni del ripetuto Signor Vermiglioli.
Tanto doveva in doveroso discarico al suo dispaccio dell'8 marzo Numero 33391 Divisione III; ed inchinato al bacio della Sua Porpora ho l'onore

Il Delegato
Cherubini

* *Sopra è stato aggiunto, fra* 3 *e* Giugno, 2.

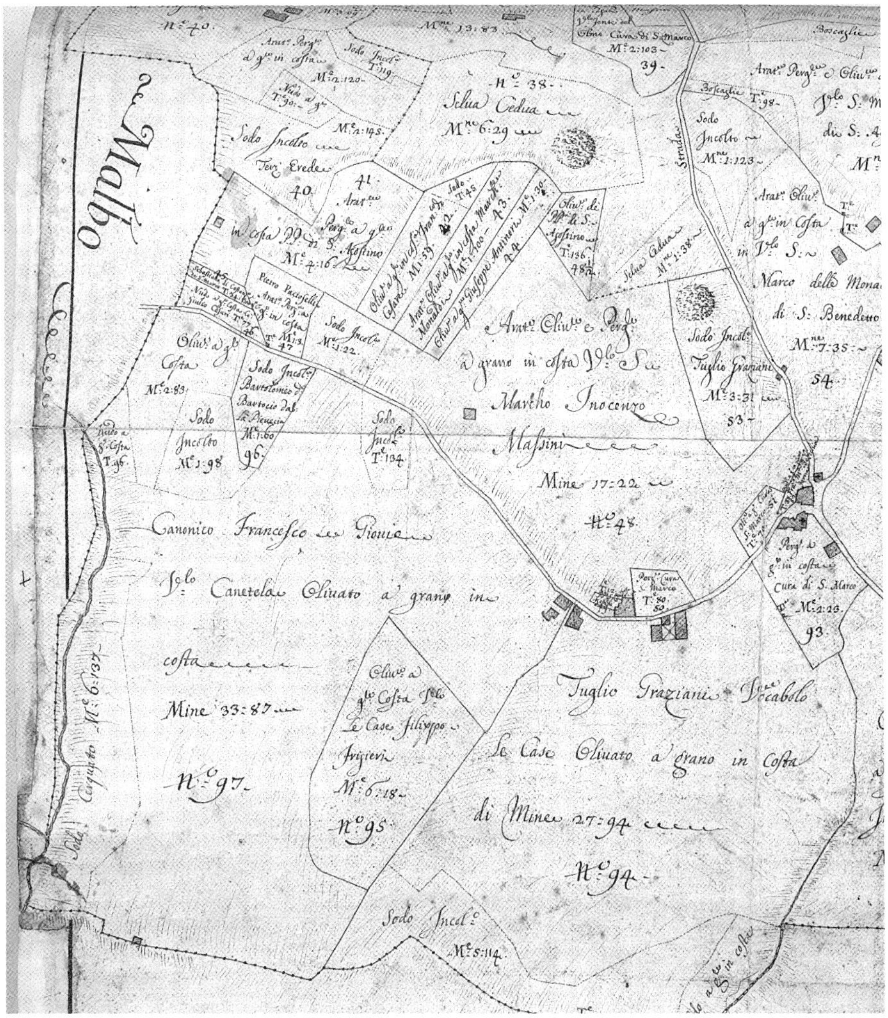

Catasto Antico: mappa n. 82, S. Marco; a sinistra le particelle n. 96, 97, a destra S. Marco

(a) di... Città *ha sostituito* fin dall'Ottobre 1822, *depennato*.
(b) *Seguiva* zelante come Egli era della zelante come era zelante come Egli era in discoprire e conservare gli antichi Monumenti *depennato*.
(c) *Seguiva* monumento, *depennato e sostituito da* testimonianza.
(d) *Seguiva* sopra *depennato e sostituito da* di sopra.
(e) *Seguiva* fa *depennato e sostituito da* da.
(f) cerchi *ha sostituito* abbia cercato *depennato*.
(g) *Seguiva* che gli aveva *depennato*.
(h) un compenso *ha sostituito* il prezzo *depennato*.
(i) la medesima *ha sostituito* di essa *depennato*.
(l) *seguiva* doveva *depennato e sostituito da* deve.
(m) piccola spesa *ha sostituito* spesa *depennato*.
(n) dalla stima *ha sostituito* dal suffragio *depennato*.

Lettera del Camerlengo Cardinal F. Galleffi al Delegato Apostolico di Perugia (Atti della Delegazione Apostolica di Perugia, Divisione III, Titolo VIII, Istruzione Pubblica, Art. 3°, (Accademia e Società Letterarie - Scavi di Antichità - Belle Arti), 1828, IX, 2367. Numero 36313, Divisione III

Perugia*

Illustrissimo Reverendissimo Signore
Cherubini Vincenzo*

In seguito delle informazioni resemi da Vostra Signoria Illustrissima con pregiato foglio Numero 3003, non credo accogliere economicamente l'istanza di Vincenzo Cherubini di codesta città, il quale richiedeva parte del prezzo di una lapide etrusca di cui fu egli il fortuito ritrovatore, avvegnaché la medesima fu comperata e pagata al proprietario del fondo ove si rinvenne, dal di Lei antecessore Monsignor Ugo Spinola. Che, se il Cherubini creda di aver diritto all'implorato compenso, potrà valersi di sue ragioni innanzi i tribunali competenti, e consenti della più distinta stima passo a ripetermi.
Di Vostra Signoria Illustrissima e Reverendissima

Roma 21 Giugno 1828
Affezionatissimo per ServirLa
P.F. Cardinal Galleffi Camerlengo

Monsignor Delegato Apostolico
Perugia

*
Appartengono ad altra mano.

Appunto di Vincenzo Cherubini sugli scavi Speroni e Casali del 1834 (BAP, Ms. 2285, fasc. III, c. 1v)

Domenica 16 febbraio prima di quaresima 1834.
Sono stato a S. Marco, ed ho trovato che 20 piedi sopra il punto (a) da cui fu levata la gran Lapide Etrusca, dal lato sinistro (b) del fosso, quasi a livello di detta pietra, e verso il Monte, o Colle di S. Marco, facendo de' scavi Speroni e Casali hanno trovato questo vaso, che hanno creduto la bocca di un pozzo; l'hanno trovato posato sopra pietre non messe in calce, hanno scavato il pozzo per circa 5 piede (sic) ed hanno trovato sassi e terra, o argilla turchina, come quella in cui si trovò collocata la Lapide.
Non può essere la bocca di un pozzo perché sarebbe stata troppo fragile, perché ancora non presenta scavi, o segni di rotature di corde per

Catasto Gregoriano, S. Andrea e S. Lucia; in alto a sinistra le particelle n. 858, 860, 862

Catasto attuale su cui sono state riportate (sulla sinistra della mappa) le particelle 858, 860, 862 del Catasto Gregoriano

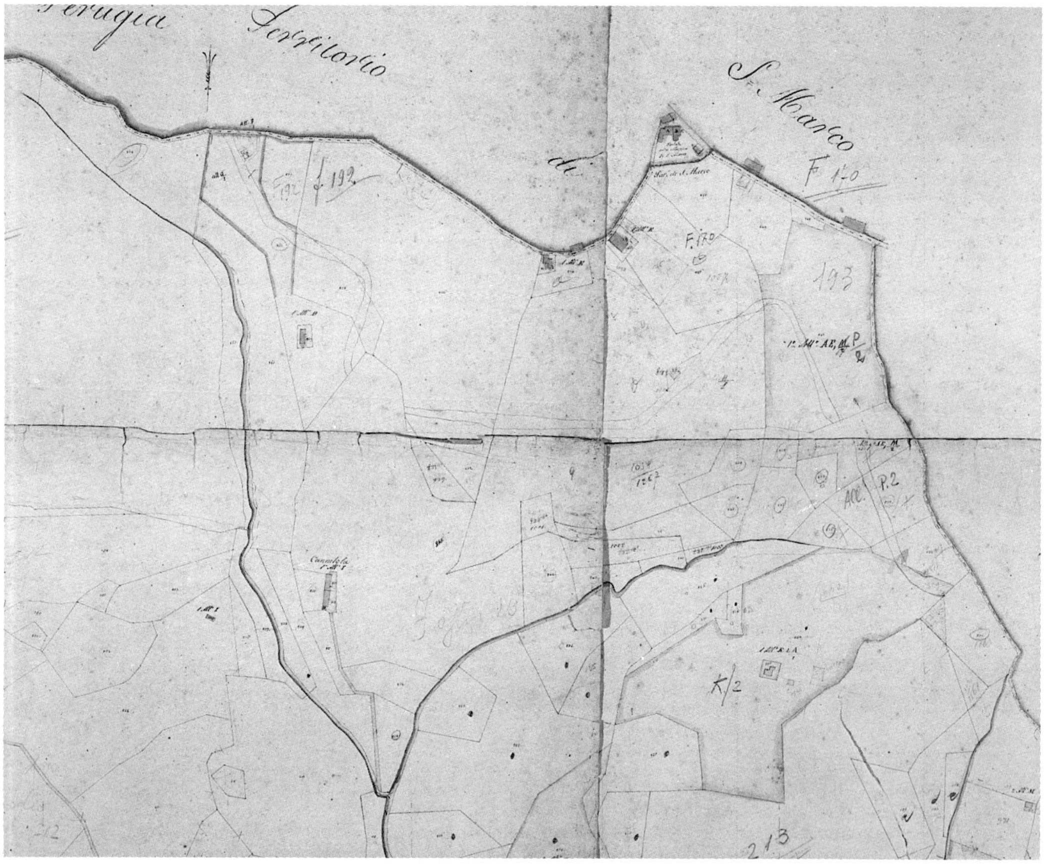

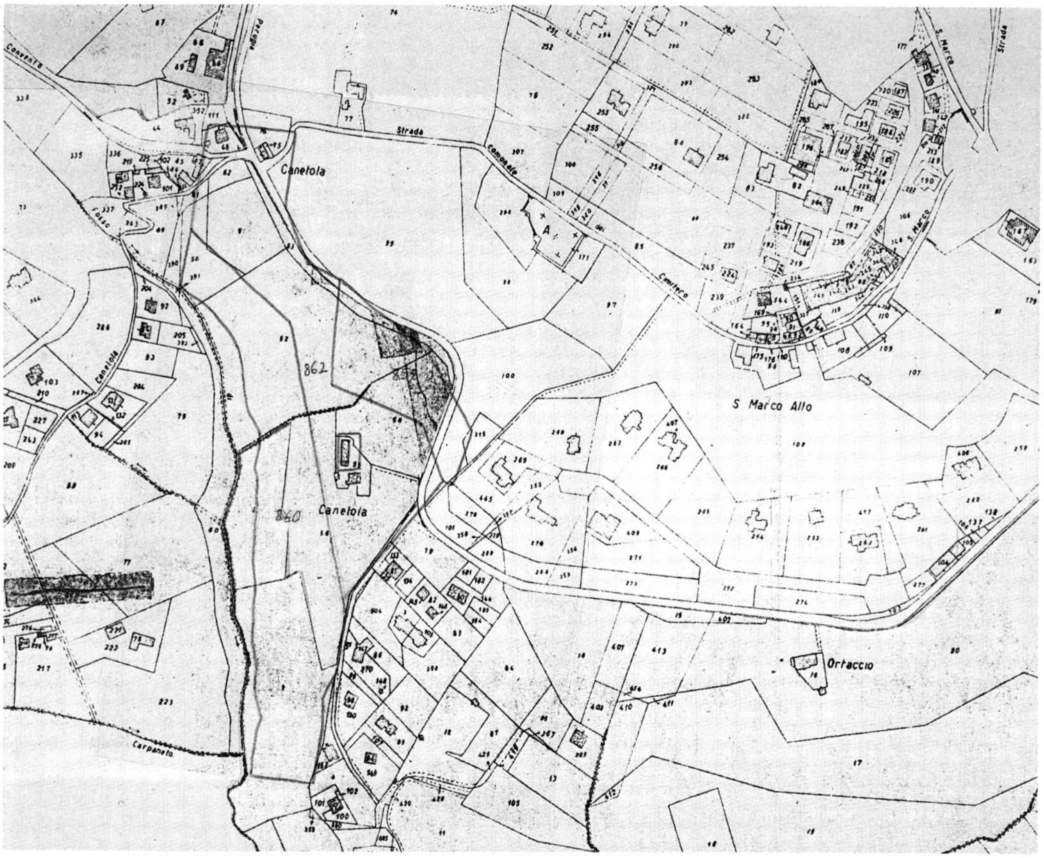

estrarre l'acqua.
Li suoi battenti all'orlature fa conoscere esse (sic) vasi da sovrapporsi per sostenere il terreno, onde rendere l'officio di Lumiera.
Dunque, deve trovarsi un sotterraneo, o stanza sepolcrale che deve esser cavata nel tassello, o rocca.
Il suo piccolo diametro di once 19, non la rendeva atta all'officio di una bocca di pozzo.
Nota Bene. Vi hanno trovato un termine simile alli altri due che vi levai io, Vincenzio Cherubini, i quali depositai a Monte Morcino.
Quest'ultimo rinvenuto l'ho trovato che i contadini l'hanno messo per lizza (c) al loro focolare.

(a) punto *ha sostituito* fosso *depennato*.
(b) dal...sinistro *ha sostituito* e quasi *depennato*.
(c) *Corretto poi giustamente in* nizza.

Memoria di Cipriano Castelletti raccolta da Mariano Guardabassi, nel 1878 circa le vicende sulla scoperta del Cippo di Perugia.
(BAP, Ms. 2285, fasc. IX, in fine della copia del Saggio di congetture..., *Perugia, 1823 appartenuta a Vincenzo Cherubini).*
Maggio 1878
Raccolgo da Cipriano Castelletti (ora dell'età di anni 60), figlio di Antonio, che all'epoca della scoperta della lapide con la più grande iscrizione etrusca nota (a) era il proprietario del fondo sul quale fu rinvenuta (b), le notizie seguenti.
Il Castelletti (c) padre ordinò al contadino Faina di allargare l'orto del suo podere vocabolo Verde (d) per migliorarne la coltivazione. Il Faina lo fece, e subito dopo vennero grandi piogge che produssero una frana sul punto del lavoro. Alla profondità di circa metri 3 (e) il Faina vide sporgere porzione della (f) pietra scritta ed altre cose di cui terremo parola. Sebbene il Castelletti giacesse in letto per malattia, pure giunse ad esso notizia del trovamento e ciò impedì al contadino di trafugare la pietra. Il proprietario allora pensò di formare una società con l'Avvocato Ferdinando Speroni e con Gaetano Casali; ad onta di ciò lo scavo fu diretto dal chiarissimo archeologo Giovan Battista Vermiglioli che ne ebbe subito notizia mettendo a soprastante il Signor Vincenzo Cherubini (g).
Ubicazione: uscendo dalla città per la porta del Monte si scende a S. Marco; di lì dirigendosi verso Monte Malbe a due chilometri prima di giungere al torrente Genga, trovasi il podere Castelletti, vocabolo Verde, quasi a metà diviso da un piccolo torrentello che serpeggiando sgorga sulla Genga. Il predio Castelletti da questo lato confina con quello Meniconi e con l'altro delle (h) Brunetti; la distanza totale da Perugia è di circa chilometri 5 verso Nord-Nord-Ovest. (i)
Giunti colà, gli scavatori, dopo parecchio lavoro, scoprirono a piè della frana lungo il fossetto, che la pietra scritta avea a lato due termini. Tutto trovossi perfettamente a luogo, solo la pietra scritta era inclinata per effetto della spinta della frana. A poca distanza da questo monumento, a destra del riguardante fu trovato un pozzo munito di puteale alto circa un metro e del diametro di circa centimetri 75; era questo eseguito in terra cotta e dello spessore di circa centimetri 8; fu trovato a luogo ed intatto. A lato del puteale si rinvenne un coperchio dell'istessa materia rotto in più punti, e munito di due anse. (Questi oggetti furono acquistati da Gaetano (1) Casali!) Il pozzo, sebbene ricco di acqua, fu rimunito e non vi trovarono che resti di stoviglie simili alle molte che si rinvennero sul terreno circostante. In scavi posteriori si trovarono resti di due camere piccole, che furon credute appartenere ad un bagno. Molti e bei frammenti di figuline di Arezzo; vasi bianchi e neri senza pitture ed alcune pietre incise compievano il trovamento. Di queste ultime una corniola con un genio che sacrificava a Priapo fu legata in oro dal proprietario e poi venduta allo Speroni: l'incisione dicesi che era bella!
La pietra, i termini ed il pozzo trovavansi in una sola linea volta ad Ovest, e tre strade facevano capo in questo punto, le quali non furono esplorate, sgomentati dall'altezza del riempimento che nel punto più elevato misurava metri 7 (m).
La pietra, non veduta dal Castelletti perché ancora malato, fu acquistata dal Vermiglioli, alla cui discrezione si rimise per il prezzo di scudi 8. Gli scudi 8 furono pagati da Monsignor Spinola (vedi Vermiglioli: Saggio etc, pag. 2) (n) compreso il trasporto.
Guarito il Castelletti e veduto il monumento, chiese un compenso migliore; gli fu promesso, ma non l'ebbe mai!
(a) della lapide... nota *è aggiunto in margine*.
(b) sul quale fu rinvenuta *è aggiunto in margine*.
(c) Castelletti *era preceduto da* vecchio *depennato*.
(d) del... Verde *è aggiunto in margine*.
(e) *La misura in metri ha corretto la misura in piedi*: 14.
(f) sporgere... della *è aggiunto in margine*.
(g) Il proprietario... Cherubini *è aggiunto in margine in sostituzione di* Sembra che il Signor Avvocato Speroni, insieme al Lunghini si recassero a nome del padrone per mettere allo scoperto in che punto... *depennato*.
(h) delle *è aggiunto in margine*.
(i) la distanza... *Nord-Nord-Ovest è aggiunto in margine*.
(l) *Corretto da* Gaspare *depennato*.
(m) le quali... metri 7 *è aggiunto in margine*.
(n) Gli scudi... pag. 2 *è aggiunto in margine*.

Abbreviazioni

ASP 1822, 5758; 6902 = Archivio di Stato di Perugia, Atti della Delegazione Apostolica di Perugia, Divisione III, Titolo VIII, Art. 3° (Accademia e Società Letterarie – Scavi di Antichità – Belle Arti), 1822, III, 2361 minute delle lettere n° 5758 e 6902.

ASP 1828, 3003; 36313 = Archivio di Stato di Perugia, Atti della Delegazione Apostolica di Perugia..., 1828, IX, 2367 minuta della lettera n° 3003 e lettera n° 36313.

ASP, 1833 = Archivio di Stato di Perugia, Atti della Delegazione Apostolica di Perugia.., 1833, XIV, 2372.

ASPi GAL. = Archivio di S. Pietro Perugia, Ms. F.M. GALASSI, n° CM-126, p. 626 ss.

BAP, 2433 = Biblioteca Augusta Perugia, Ms. 2433, fasc. XI, cc. 12r-v.

BAP, 2285, numeri romani, numeri arabi = Biblioteca Augusta Perugia, Ms. 2285, fasc. ..., cc. ...

BUON. = G. BUONAMICI, *Rivista di Epigrafia Etrusca*, in "*St. Etr.*", XIII (1939), pp. 467-470.

CIE = *Corpus Inscriptionum Etruscarum*, Leipzig-Firenze.

CII = A. FABRETTI, *Corpus Inscriptionum Italicarum*, Augusta Taurinorum, 1867.

CON. 1861 = G. CONESTABILE, *Italie. Spicilegium de Quelques Monuments Écrits ou Anépigraphes des Étrusques*, Paris, 1861, pp. 13-14, estratto da "Rev. Arch.", 1861, nov., pp. 441-442.

CON. 1870 = G. CONESTABILE, *Dei Monumenti di Perugia Etrusca e Romana*, Perugia, 1870, IV.

DEF. 1969 = P. DEFOSSE, *Le lieu et les circostances de la découverte du Cippus Perusinus (CIE 4538 = TLE 570)*, in "Latomus", XXVIII (1969), pp. 313-326.

DEF. 1973 = P. DEFOSSE, *Précisions concernant le lieu de la découverte du Cippus Perusinus (CIE 4538 = TLE 570)*, in "Latomus", XXXII, (1973), pp. 354-358.

GUA. = BAP, Ms. 2285, fasc. IX, Memoria di Cipriano Castelletti raccolta da Mariano Guardabassi, conservata in fine della copia del *Saggio di Congetture...*, di G.B. Vermiglioli, appartenuta a Vincenzo Cherubini.

PFIF. = A.J. PFIFFIG, *Un monumento giuridico etrusco: il Cippo di Perugia*, in "Rassegna Giuridica Umbra", XV, (1969), pp. 120-125.

TLE = M. PALLOTTINO, *Testimonia Linguae Etruscae*, Firenze, 1954: 1968[2].

VER. = Foglio volante da attribuire a G.B. Vermiglioli, stampato per ringraziare il Delegato Apostolico di Perugia U. Spinola, compratore del Cippo, quando questo venne collocato nel Gabinetto Archeologico della città, s.l.n.d.

VER. 1824 = G.B. VERMIGLIOLI, *Saggio di Congetture sulla Grande Iscrizione Etrusca scoperta nell'anno MDCCCXXII e riposta nel Gabinetto dei Monumenti Antichi della Università di Perugia*, Perugia, 1824.

VER. 1830 = G.B. VERMIGLIOLI, *Indicazione Antiquaria per il Gabinetto Archeologico di Proprietà dell'Illustrissimo Magistrato di Perugia*, Perugia, 1830, p. 5.

VER. 1833 = G.B. VERMIGLIOLI, *Antiche Iscrizioni Perugine*, Perugia, 1833[2], I, pp. 85-118.

S.F. L.N.

Bibliografia

Liber linteus di Zagabria

Ljubić S., *Vjestnik narodnoga zemaljskoga muzeja u Zagrebu*, 1870, pp. 48-49.

Krall J., *Die etruskischen Mumienbinden des Agramer Nationalmuseums*, in: Denkschriften der Kaiserlichen Akademie der Wissenschaften. Philosophisch-historische Klasse, Bd. XLI, Wien 1892.

Lattes E., *Il testo etrusco della mummia di Agram. Appunti ermeneutici*, in: *Atti R. Acc. d. Scienze di Torino*, XXVII, 1892, pp. 23 sgg.

Rački F., *Etruščanski nadpis našega narodnog muzeja*, Vienac, 24 nov. 1892, 38, pp. 602-604.

Lattes E., *Saggi e appunti intorno alla iscrizione etrusca della mummia di Agram*, Milano 1894.

Lattes E., *Studi metrici intorno alla iscrizione etrusca della mummia*, in: Mem. R. Ist. Lomb. di Scienze e Lettere. Classe di Lettere, Scienze storiche e morali. Vol. XX, 11° serie 3ª, Milano 1899.

Torp A., *Etruskische Monatsdaten*. Videnskabs-Selskabets Skrifter. II. Historisk-filosofisk Klasse. Christiania 1902, n° 4, pp. 1-18.

Thulin C.O., *Die Agrambinden = Italische sakrale Poesie und Prosa. Eine metrische Untersuchung*, Berlin 1906, pp. 5-14.

Herbig G., *Die etruskische Leinwandrolle des Agramer National-Museums*. Abhandlungen d. K. Bayer. Akad. d. Wiss. Philos.-philol. u. hist. Kl. Bd. 25, München 1911, 4. Abhl. pp. 1-45.

Hoffiller V., *Proučavanje jezika povoje*, Archeološkoga, NS 13/1913-14, pp. 335-345.

Trombetti A., *La lingua etrusca*, Firenze 1928, pp. 65-139, 154-155, 201-205.

Pallottino M., *Il plurale etrusco*, in: St. Etr. V 1931, pp. 239, 247-249, 258, 260-261, 266-267, 269-270, 275-278, 287.

Pallottino M., *Questioni ermeneutiche del testo di Zagabria*, in: St. Etr. VI 1932, pp. 273-281.

Olzscha K., *Aufbau und Gliederung in den Parallelstellen der Agramer Mumienbinden*, I. Teil, in: St. Etr. VIII 1934, pp. 247 sgg.

Cortsen S.P., in: Runes M., *Der etruskische Text der Agramer Mumienbinden*, in: Forschungen zur griechischen und lateinischen Grammatik, Göttingen 1935, pp. 59 sgg.

Olzscha K., *Aufbau und Gliederung in den Parallelstellen der Agramer Mumienbinden*, II. Teil, in: St. Etr. IX 1935, pp. 191 sgg.

Pallottino M., *Il contenuto del testo della Mummia di Zagabria*, in: St. Etr. XI 1937, pp. 203 sgg.

Vetter E., *Etruskische Wortdeutungen*. I. Heft: *Die Agramer Mumienbinde*, 1937.

Devoto G., *Contatti Etrusco-Iguvini*, II, in: St. Etr. XII 1938, pp. 143 sgg.

Cortsen S.P., *Zur Agramer Mumienbinde*, in: Glotta XXIX 1942, pp 62 sgg.

Cortsen S.P., *Einige Ortsangaben der Agramer Mumienbinden*, in: St. Etr. XVII 1943, pp. 327-345.

Pallottino M., *Saggi sul libro di Zagabria I: La formula* cisum pute, in: St. Etr. XVII 1943, pp. 347-357.

Olzscha K., *Die Schlussformel des Neptunopfers in der Agramer Mumienbinde*, in: Glotta XXXI 1951, pp. 115 sgg.

Olzscha K., *Der erste Abschnitt der XI Kolumne in der Agramer Mumienbinde*, in: Glotta XXXII 1953, pp. 283 sgg.

Olzscha K., *Aus einem etruskischen Priesterbuch*, in: Glotta XXXII 1953.

Vetter E., *Zur Lesung der Agramer Mumienbinde*, in: Anz. Österr. Akad. d. Wiss., philos.-histor. Klasse 19, 1953, pp. 252 sgg.

Stoltenberg H.L., *Die wichtigsten etruskischen Inschriften*, 1956, pp. 60-62.

Olzscha K., *Die Kalenderdaten der Agramer Mumienbinde*, in: Aegyptus, Riv. Ital. di Egitt. e Papirologia XXXIX 1959, pp. 340 sgg.

Olzscha K., *Die kleinen Opfergaben in den Agramer Binden und auf den Iguvinischen Tafeln*, in: St. Etr. XXVII 1960, pp. 385-401.

Olzscha K., *Studien über die VII. Kolumne der Agramer Mumienbinden*, in: St. Etr. XXX 1962, pp. 157-192.

Pfiffig A.J., *Studien zu den Agramer Mumienbinden, Der etruskische Liber Linteus*, in: Österr. Akad. d. Wiss., philos-histor. Klasse, Bd. 81 1963.

Pallottino M., *Testimonia Linguae Etruscae*, 1968², n. 1.

Grandolini S., *Sulle varianti grafiche del Liber etrusco di Zagabria*, in: St. Etr. XXXVIII 1970, pp. 105 sgg.

Wood J., *The position of Herbig's "New Fragment" in the Etruscan Liber Linteus at Zagreb*, in: Glotta LV 1977, pp. 283-296.

Roncalli F., *"Carbasinis voluminibus implicati libri". Osservazioni sul liber linteus di Zagabria*, in: Jahrb. des Deutschen Arch. Inst. 95 1980, pp. 227-264.

Roncalli F., *Osservazioni sui "libri lintei" etruschi*, in: Rendiconti della Pont. Accad. Rom. d'Arch. LI-LII, 1980.

Tegola di Capua

Lattes E., *Primi appunti sulla grande iscrizione etrusca trovata a S. Maria di Capua*, in: Rend. Ist. Lomb. XXXVIII (1900), Serie II, pp. 345-371; 54-562.

Torp A., *Bemerkungen zu der etruskischen Inschrift von S. Maria di Capua*, 1905.

Lattes E., *Le "annotazioni" del Torp alla grande iscrizione etrusca di S. Maria di Capua*, in: Mem. Acc. Arch. Napoli XXVI (1907), pp. 3-5.

Cortsen S.P., *Zum Etruskischen*, in: Glotta XVIII 1930, pp. 157-158.

Cortsen S.P., *Inhalt der etruskischen Tontafel von S. Maria Capua Vetere*, in: St. Etr. VIII 1934, pp. 227-246.

Meriggi P., *Osservazioni sull'Etrusco*, in: St. Etr. XI 1935, pp. 129-201.

Vetter E., *Die Herkunft des venetischen Punktiersystems*, in: Glotta XXIV 1936, pp. 117 sgg.

Vetter E., *Etruskisches*, in: Glotta XXVII 1939, pp. 157 sgg.

Vetter E., Literaturbericht 1935-1937: *Etruskisch*, in: Glotta XXVIII 1940, pp.154-155.

Buonamici G., *L'interpunzione sillabica e di altre forme dell'etrusco*, in: St. Etr. XVI 1942, pp. 263-344.

Giglioli G.Q., *La religione degli Etruschi*, in: Storia delle religioni, Torino 1944, pp. 769-849.

Ribezzo F., *Carattere e contenuto del tegolo etrusco di S. Maria di Capua*, in: La Parola del Passato, III (1946), pp. 286 sgg.

Pallottino M., *Sulla lettura e sul contenuto della grande iscrizione di Capua*, in: St. Etr. XX 1948, pp. 159 sgg.

Slotty F., *Beiträge zur Etruskologie, I. Silbenpunktierung und Silbenbildung im Altetruskischen*, Heidelberg, Carl Winter Universitätsverlag, 1952.

Stoltenberg H.L., *Uebersetzung der Tontafel von Capua*, in: St. Etr. XXII 1952-1953, pp. 158-165.

Olzscha K., *Götterformeln und Monatsdaten in der grossen etr. Inschrift. von Capua*, in: Glotta XXXIV 1955.

Stoltenberg H.L., *Die wichtigsten etruskischen Inschriften*, Leverkusen, Gottschalksche Verlagsbuchhandlung 1956.

Stoltenberg H.L., *Die etruskischen Punkte als Lautzeichen*, in Die Sprache, 1956.

Stoltenberg H.L., *Etruskische Gottnamen*, 1957.

Cippo di Perugia

Vermiglioli G.B., *Saggio di Congetture sulla Grande Iscrizione Etrusca Scoperta nell'Anno MDCCCXXII e Riposta nel Gabinetto de' Monumenti Antichi della Università di Perugia*, Perugia 1824.

Müller K.O., *Die Etrusker*, Breslau 1828, p. 60, n. 35.

Vermiglioli G.B., *Antiche Iscrizioni Perugine Raccolte Dichiarate e Pubblicate da Gio. Battista Vermiglioli*, Perugia 1833-1834², I, pp. 85-118.

Fabretti A., *Corpus Inscriptionum Italicarum*, Torino 1867, p. CLXV, n. 1914, tab. XXXVII.

Conestabile G., *Dei Monumenti di Perugia Etrusca e Romana*, Perugia 1870, IV, pp. 3-4, n. 1 = CCCXIX, tav. I-XXVII; pp. 511-535.

Torp A., *Etruskische Beiträge I*, Leipzig 1902.

Torp A., *Etruskische Beiträge II*, Leipzig 1903, pp. 83-127.

Bellucci G., *Guida alle Collezioni del Museo Etrusco-Romano in Perugia*, Perugia 1910, pp. 17-19, n. 9.

Vetter E., *Etruskische Wortdeutungen*, in: Glotta XII 1924, pp. 138 sgg., p. 149.

Ribezzo F., *Il volto della sfinge etrusca nei testi CIE 5237 e 4538 (Piombo di Magliano e Cippo di Perugia) rianalizzati e spiegati*, Napoli 1929.

Cortsen S.P., *Etruskisches*, in: Glotta XVIII 1930, pp. 171-172, 181¹, 188 sgg.

Pallottino M., *Il plurale etrusco*, in: St. Etr. V 1931, pp. 251-252, 260, 271-272, 284 sgg.

Pallottino M., *Questioni ermeneutiche del testo di Zagabria*, in: St. Etr. VI 1932, p. 278.

Devoto G., *Il Cippo di Perugia e i numerali etruschi*, in St. Etr. VIII 1934, pp. 217-226.

Kluge Th., *Die etruskischen Zahluwörter. Eine prinzipielle Untersuchung*, in: St. Etr. IX 1935, p. 154.

Kluge Th., CIE 4538, *Cippus Perusinus. Eine zweite Untersuchung*, in: St. Etr. X 1936, pp. 191-262.

Pallottino M., *Appunti ermeneutici sul testo di Perugia*, in: St. Etr. X 1936, pp. 289-294.

Devoto G., *La riunione della sezione linguistica (24 ottobre)*, in: St. Etr. XI 1937, pp. 495-498.

Meriggi P., *Osservazioni sull'etrusco*, in: St. Etr. pp. 141, 157 sgg., 168 sgg., 174 sgg.

Cortsen S.P., *Das etruskische Demonstrativpronomen* eca *und Verwandtes*, in: Glotta XXVI 1938, pp. 246, 250.

Hönigswald H., *Studi sulla punteggiatura nei testi etruschi*, in: St. Etr. XII 1938, p. 205, 213 sgg.

Buonamici G., *Rivista di epigrafia etrusca*, in: St. Etr. XIII 1939, pp. 467-470.

Buonamici G., *Rivista di epigrafia etrusca*, in: St. Etr. XIV 1940, p. 392.

Ribezzo F., *A che punto siamo con la interpretazione dell'etrusco*, in: St. Etr. XXII 1952-1953, pp. 108, sgg. 114, 124, 128.

Mazzarino S., *Sociologia del mondo etrusco e problemi della tarda etruschicità*, in: Historia VI 1957, pp. 108 sgg.

Pfiffig A.J., *Untersuchungen zum Cippus Perusinus (CIP)*, in: St. Etr. XXIX 1961, pp. 111-154.

Pfiffig A.J., *Addenda und Corrigenda zu «Untersuchungen zum Cippus Perusinus (CIP)»*, in: St. Etr. XXX 1962, pp. 355-357.

Pallottino M., *Un gruppo di nuove iscrizioni tarquiniesi e il problema dei numerali etruschi*, in: St. Etr. XXXII 1964, pp. 113, 118 sgg.

Devoto G., *Considerazioni sulle lamine auree di Pyrgi*, in: St. Etr. XXXIV, 1966, p. 219.

Pallottino M., *Testimonia Linguae Etruscae*, Firenze 1968², p. 78, n. 570.

Defosse P., *Le lieu et les circonstances de la découverte du Cippus Perusinus (CIE 4538=TLE 570)*, in Latomus XXVIII 1969, pp. 313-326, figg. 1-8.

Pfiffig A.J., *Un monumento giuridico etrusco: il cippo di Perugia*, in: Rassegna Giuridica Umbra XV 1969, pp. 120-125.

Pfiffig A.J., *Neues archivalisches Material zum Cippus Perusinus*, in: St. Etr. XXXVIII 1970, pp. 373-375.

Nucciarelli F.I., *La voce etrusca "tularu" e il suo caso*, in: Annali della Facoltà di Lettere e Filosofia dell'Università di Perugia IX 1971-1972, p. 241.

Cristofani M., Recensione ad H. Rix, *Die moderne Linguistik und die Beschreibung des Etruskischen*, in: Kadmos X 1972, pp. 150-170; in: St.Etr. XL 1972, p. 588.

Defosse P., *Précisions concernant le lieu de la découverte du Cippus Perusinus (CIE 4538= TLE² 570)*, in Latomus XXXII 1973, pp. 354-358.

Matteini Chiari M., *La tromba del Faggeto in territorio perugino*, in: Quaderni dell'Istituto di Archeologia dell'Università di Perugia III 1975, p. 15, nn. 22-23, tavv. 1, 3.

Manthe U., *Ein etruskischer Schiedsspruch-Zur Interpretation des Cippus Perusinus*, in: Revue Internationale des Droits de l'Antiquité XXVI 1979, pp. 261-305.

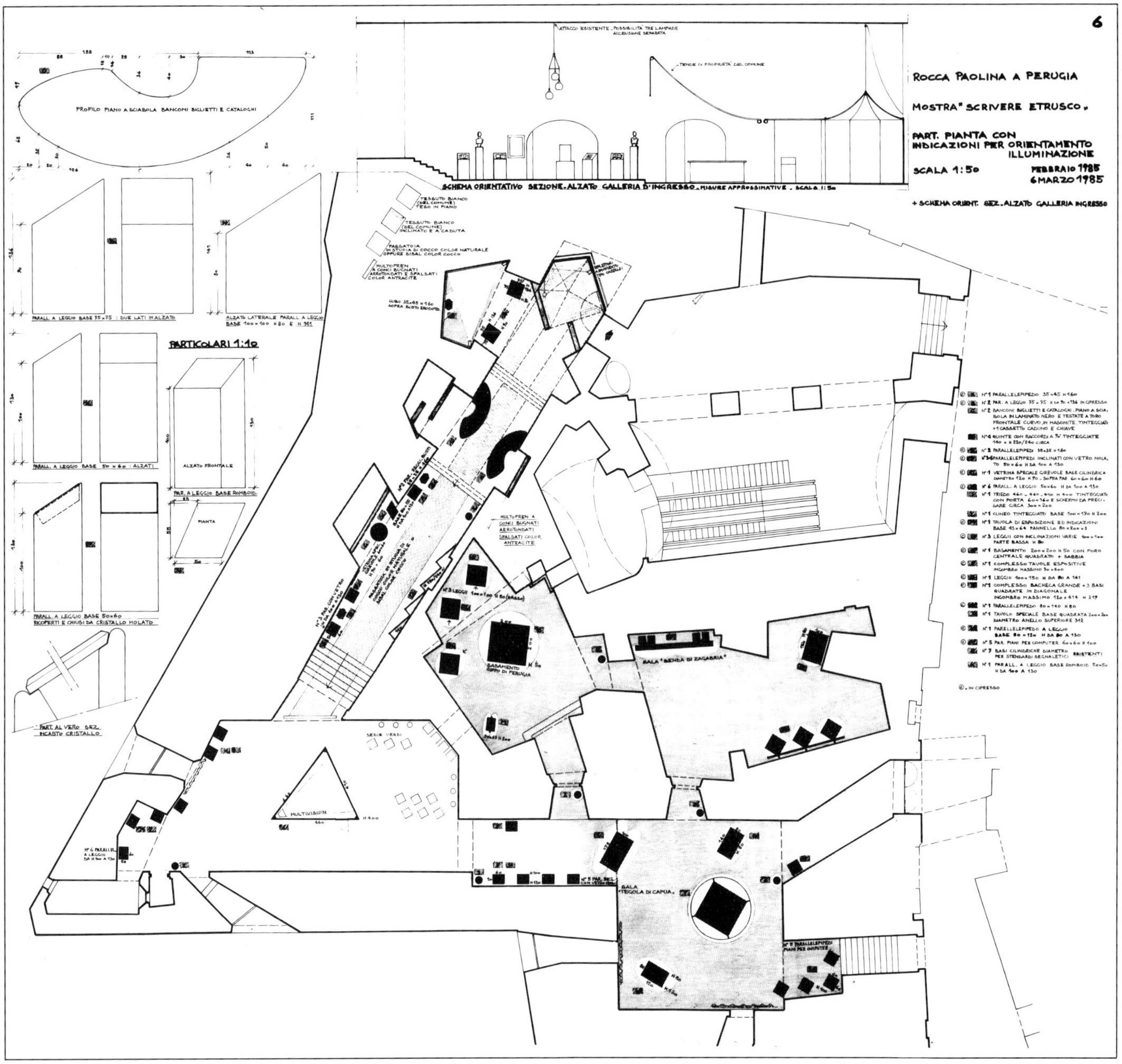

Dettagli dell'allestimento
(architetti Luigi Caccia Dominioni e Alessandro Cassini)

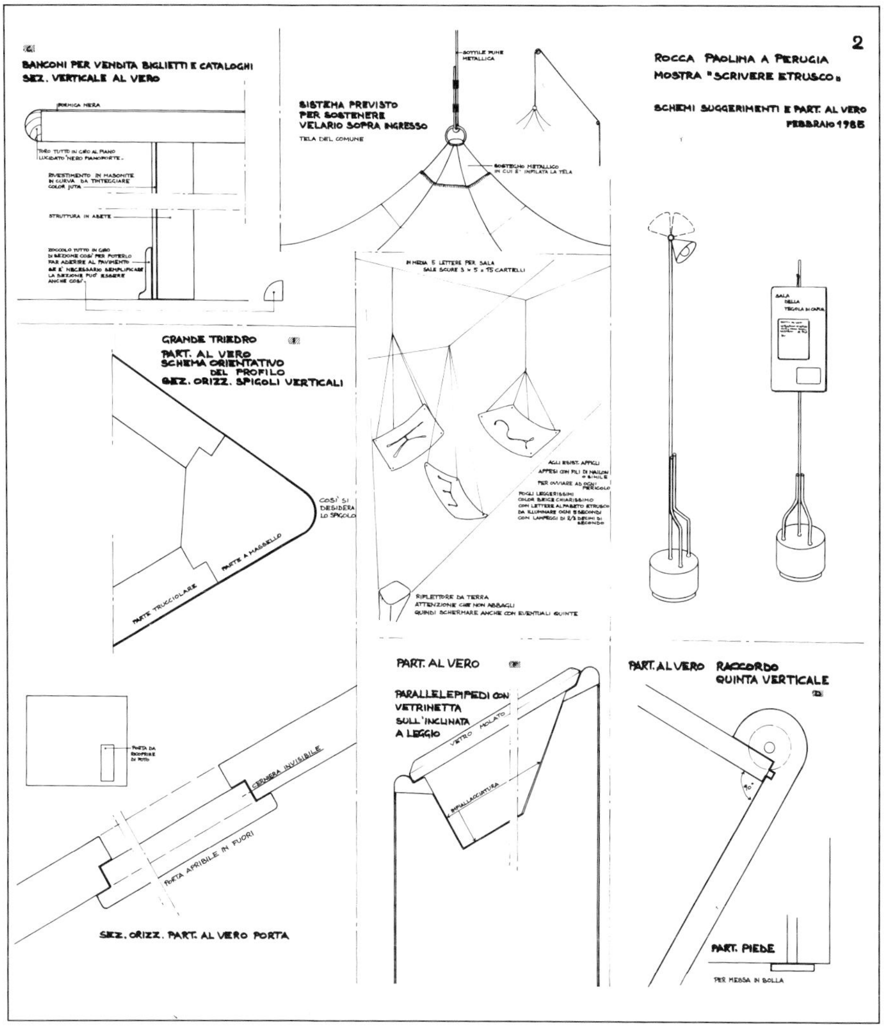

2
ROCCA PAOLINA A PERUGIA
MOSTRA "SCRIVERE ETRUSCO"
SCHEMI SUGGERIMENTI E PART. AL VERO
FEBBRAIO 1985
BANCONI PER VENDITA BIGLIETTI E CATALOGHI
SEZ. VERTICALE AL VERO
SISTEMA PREVISTO
PER SOSTENERE
VELARIO SOPRA INGRESSO
TELA DEL COMUNE
GRANDE TRIEDRO
PART. AL VERO
SCHEMA ORIENTATIVO
DEL PROFILO
SEZ. ORIZZ. SPIGOLI VERTICALI
COSÌ SI
DESIDERA
LO SPIGOLO
PARTE A MASSELLO
PARTE TRUCCIOLARE
RIFLETTORE DA TERRA
ATTENZIONE CHE NON ABBAGLI
QUINDI SCHERMARE ANCHE CON EVENTUALI QUINTE
PORTA APRIBILE IN FUORI
CERNIERA INVISIBILE
SEZ. ORIZZ. PART. AL VERO PORTA
PART. AL VERO
PARALLELEPIPEDI CON
VETRINETTA
SULL'INCLINATA
A LEGGIO
VETRO MOLATO
PART. AL VERO RACCORDO
QUINTA VERTICALE
PART. PIEDE
PER MESSA IN BOLLA

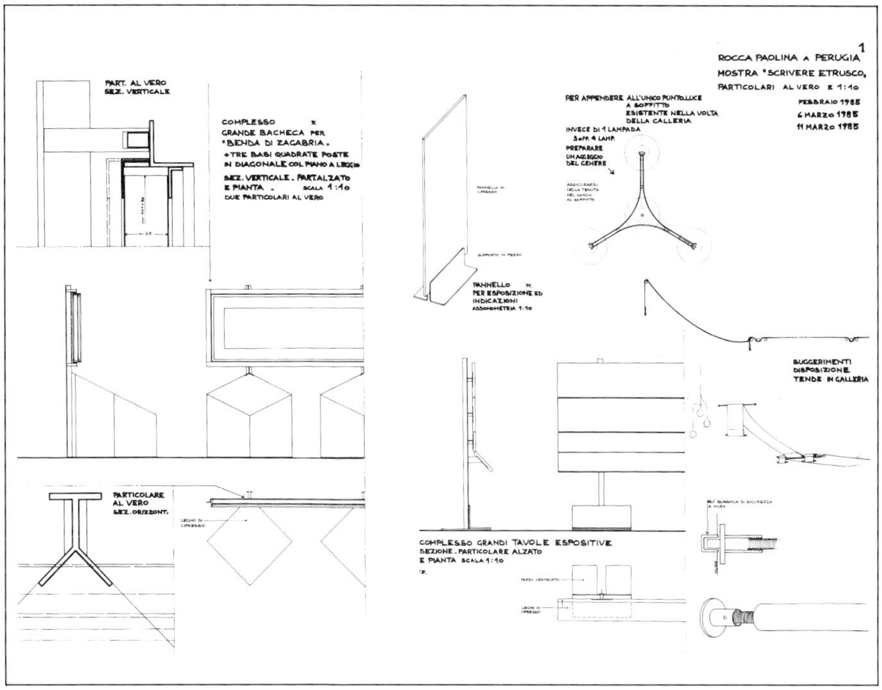

1
ROCCA PAOLINA A PERUGIA
MOSTRA "SCRIVERE ETRUSCO"
PARTICOLARI AL VERO E 1:10
FEBBRAIO 1985
6 MARZO 1985
11 MARZO 1985
PART. AL VERO
SEZ. VERTICALE
COMPLESSO
GRANDE BACHECA PER
"BENDA DI ZAGABRIA"
+ TRE BASI QUADRATE POSTE
IN DIAGONALE COL PIANO A LEGGIO
SEZ. VERTICALE. PART. ALZATO
E PIANTA. SCALA 1:10
DUE PARTICOLARI AL VERO
PER APPENDERE ALL'UNICO PUNTO LUCE
A SOFFITTO
ESISTENTE NELLA VOLTA
DELLA GALLERIA
INVECE DI 1 LAMPADA
3 o 4 LAMP.
PREPARARE
UN AGGEGGIO
DEL GENERE
PANNELLO
PER ESPOSIZIONE ED
INDICAZIONI
ASSONOMETRIA 1:10
SUGGERIMENTI
DISPOSIZIONE
TENDE IN GALLERIA
PARTICOLARE
AL VERO
SEZ. ORIZZONT.
COMPLESSO GRANDI TAVOLE ESPOSITIVE
SEZIONE. PARTICOLARE ALZATO
E PIANTA SCALA 1:10

Stampato per conto della Electa Editrice
dalla Fantonigrafica di Venezia